新潮文庫

ジュリアス・シーザー

シェイクスピア
福田恆存訳

新潮社版

1814

目次

口絵写真
ロージャー・ウッド撮影
（オリオンプレス提供）

ジュリアス・シーザー

場所　ローマ、のちにサルディス附近、フィリッピ附近

人物

ジュリアス・シーザー

オクテイヴィアス・シーザー
マーカス・アントーニアス
イーミリアス・レピダス
（シーザー死後の三執政官）

シセロー
パブリアス
ポピリアス・リーナ
（元老院議官）

マーカス・ブルータス
キャシアス
キャスカ
トレボーニアス
リゲーリアス
ディーシアス・ブルータス
メテラス・シンバ
シナ
（シーザー暗殺の共謀者）

フレイヴィアス
マララス
（護民官）

クニドスのアルテミドーラス　修辞学の教師

占師

シナ　詩人
第二の詩人

ルーシリアス
ティティニアス
メサーラ
小ケイトー
ヴォラムニアス
　（以上）ブルータスやキャシアスの仲間

ヴァロー
クライタス
クローディアス
ストレイトー
ルーシアス
ダーディニアス
レイビオー
フレイヴィアス
　（以上）ブルータスの部下

ピンダラス　キャシアスの奴隷
キャルパーニア　シーザーの妻
ポーシャ　ブルータスの妻

他に元老院議官、市民、将兵など大勢

〔第一幕 第一場〕

〔I-1〕1

1

ローマ、町なか

護民官のフレイヴィアス、マララス、その他、市民数人。

フレイヴィアス　行け！　帰れ、この怠け者、家へ帰るのだ。今日は休みか？　なに！　知らないのか、職人のくせに、ふらふら出歩く奴があるか、平日だというのに仕事着も着ないで？　お前の仕事はなんだ？

第一の市民　その、はい、大工で。

マララス　それなら革《かわ》前垂れと物差しはどこへ置いてきたのだ？　どういうつもりなのだ、一帳羅《いっちょうら》の晴着など着こんで？　お前は、おい、お前の仕事は？

第二の市民　正直な話、はい、仕事のなんのと一人前扱いはお恥しい次第で、じつは、しがない半人足のつゞくり屋という奴でして。

マララス　だから、その仕事はなんだと言うのだ、すなおに答えろ。

第二の市民　別に、はい、気がとがめるようなものとは思っておりませんので、はい、つまり、傷《いた》みを直すのが仕事でして。

マララス　なんの仕事だ、こいつ、仕事はなんだと言っているのだ。

第二の市民　まあ、どうぞ、そう御機嫌《ごきげん》を悪くなさらないでくださいまし。もっとも、悪いところは、はい、いつでも直してさしあげられますが。

マララス　どういう意味だ？　おれを直す、生意気な！

第二の市民　その、はい、底を直させていただくのでして。

フレイヴィアス　なに、では、靴直しなのだな、お前は？

第二の市民　正直な話、はい、頼みの綱は錐《きり》一本でございます。と申して、その錐で他人様の脛《すね》の傷、隠し女をつきだしなどはいたしません、それをやっては切りがない。嘘《うそ》いつわりはございません、はい、古靴の医者というわけで、靴の命がいよいよ危機に瀕《ひん》したとなると、手前が癒《いや》して進ぜます。小牛のなめし革を召されるどんなお歴々でも、みんな手前の仕事を当てにしておいでございます。

フレイヴィアス　だが、何かあるのか、今日は、店を空《あ》けたりして？　なぜこんな連中を引きつれて町なかをぞろぞろ練り歩くのだ？

第二の市民　正直な話、はい、靴底をすりへらすためなので、つまりは商売繁昌《はんじょう》のためというわけでして。いえ、じつは、はい、今日の店じまいは、シーザー様をお出迎えいたし、その勝ちいくさをお喜び申しあげたいばかりに。

マララス　何かあるのか、喜ぶようなことが？　何か土産《みやげ》を背負って帰って来るのか？　誰か人《ひと》質《じち》でもついて来るのか、このローマへ、戦車の飾りにでもなって？　木端《こっぱ》野郎、石ころ野郎、いや、まだましだぞ、貴様らよりは、何も感じない木や石の方が！　ああ、心が無いのか、貴様らには、情知らずのローマ市民、貴様らはポンペイを知らないと言うのか？　何度も何度も城壁や胸壁にすがりつき、塔や窓に鈴なりになって、いや、煙突にまでよじのぼって、その行列を見ようとしたお前ら、腕に幼子《おさなご》を抱き、なんと終日、根気よく待ちわびていたことか、凱旋《がいせん》将軍大ポンペイがローマの街々を通って行くのを見ようとして。その戦車の影が遠くにちらと見えようものなら、みんな一斉に歓呼の声をあげる、そのどよめきがうつろな川岸にこだまして、さすがのティベール川も堤の下で震えていたではないか？　それなのに、今、貴様らは一番上等な晴着を身につけるのか？　それなのに、今、貴様らは休みとしゃれこむ気か？　それなのに、今、貴様らはあの男の道筋に花を撒《ま》きちらそうというのか、ポンペイの息子たちを滅して凱旋して来る男のために？　ええい、行ってしまえ！　早く家へ帰れ、膝《ひざ》まずいて神々に祈るがいい、疫病の禍がふりかかりませんようにと、さもなければ、これほどの恩知らずだ、罰があたらずにすむものか。

フレイヴィアス　さあ、帰れ、みんな、罪ほろぼしに仲間の貧乏人どもを狩り集め、ティベールの川岸に連れて行き、懺悔《ざんげ》の涙を流れに注ぐがいい、あの川面の一番低いところが両岸の一番高いところにとどくまでな。（群衆、散り散りに去る）さすが下等な奴らでも、多少は感じるところがあるらしい。うしろめたいのだろう、黙ってこそこそ帰って行く。そちらの道を議事堂の方へ行ってみてくれぬか、おれはこちらの道を見まわる。シーザーの飾りつけを見つけたら、片端から剝《はが》してしまうがいい、お祭騒ぎの飾りつけなどは。

マララス　そうまでしていいのか？　今日はルペルカリアの祭日だぞ。

フレイヴィアス　構うものか、どんな像にでもシーザーの飾りつけなどさせてはならぬ。おれは見てまわる、途中、野次馬共はどしどし追払ってくれる。そちらもよろしく頼むぞ、寄り集っているのを見つけたら、手当りしだいに蹴《け》ちらしてやれ。奴らは伸びかかりの羽毛だ、シーザーの翼のな、今のうちに抜きとってしまえば、そう高くは飛べまい。さもないと、あの男、目のとどかぬほどの高みに舞いあがり、おれたちはみな、その下で奴隷のように小さく這《は》いつくばわされることになろう。（二人退場）

2

〔第一幕　第二場〕

前場に同じ

音楽とともに厳《おごそ》かな行列がはいって来る。吊《つ》り台にのったシーザー、競争の身仕度をしたアントーニアス、キャルパーニア（シーザーの妻）、ポーシャ（ブルータスの妻）、ディーシアス、シセロー、ブルータス、キャシアス、キャスカ、占師。そのあとから、マララス、フレイヴィアスが群衆とともに出て来る。

シーザー　キャルパーニア！（行列がとまる）
キャスカ　おおい、静かに！　シーザーが話す。
シーザー　キャルパーニア！
キャルパーニア　（前に出て）はい、ここに。
シーザー　いいか、アントーニアスのすぐ前に立つのだ、駆けだそうとしたらな。アントーニアス！
アントニー　何か御用で？
シーザー　忘れるなよ、アントーニアス、駆けだしたら、キャルパーニアに触《さわ》ってやってくれ。昔からよく言うではないか、子供の出来ない女も、この祭りの競技で誰か走り手に触ってもらうと、石女《うまずめ》の呪《のろ》いが落ちるとな。
アントニー　決して忘れませぬ。シーザーがこうせよとお命じになれば、何事もかならず果されましょう。
シーザー　始めてくれ、式どおり手落ちのないようにな。（ふたたび音楽）
占師　シーザー！
シーザー　あ！　誰だ、今の声は？
キャスカ　音楽をやめさせろ、待て、静かに！

シーザー　誰だ、群集のなかからおれに呼びかけたのは？　この耳にはどの楽《がく》の音《ね》より鋭く聞えたぞ、「シーザー」という叫びが。言え、シーザーは待っている、あとを聴《き》こう。
占師　気をつけるがよい、三月十五日を。
シーザー　何者だ、あれは？
ブルータス　占師です、三月十五日にお気をつけになるようにと申しております。
シーザー　ここに連れてこい、その男の顔が見たい。
キャシアス　おい、前に出て、顔をお見せしろ。
シーザー　さあ、何が言いたいのだ？　もう一度、言ってみろ。
占師　気をつけるがよい、三月十五日を。
シーザー　この男は夢を見ているのだ、相手にしても始らぬ、さ、行け。（トランペットの吹奏とともに、シーザーの一行退場）
キャシアス　競技を見に行かぬか？
ブルータス　おれは見たくない。
キャシアス　いいではないか、行ってみよう。
ブルータス　勝負事は好かぬ。おれにはどうやら欠けているらしい、あのアントニーのような快活な気質がな。だが、邪魔はしたくない、キャシアス、好きにするがいい。ここで別れよう。
キャシアス　ブルータス、この間から気になっていたのだ。おれを見る目が違ってきたな、かつてはそこから覗《のぞ》いていたあの優しさが、友情の光が、すっかり消えてしまった。妙にかたくなで、妙によそよそしい、きみを愛する友だちにまで。

ブルータス　キャシアス、誤解しないでくれ。おれが人に面《つら》を見せたがらぬというのも、いわばおのれの暗い顔をひたすら自分の胸に向けようとするからなのだ。おれは苦しんでいる、この間から心のうちに相争うものがあるのだ、もちろん、人には関《かかわ》りのない自分一人の心のわだかまりにすぎぬ。あるいは、それが、おれのふるまいに、影のようなものを与えているのであろう。しかし、そのために親しい友だちの心を傷つけたくはない、そのなかの、キャシアス、きみも一人だ。それにしても、もうこれ以上、穿鑿《せんさく》してくれるな、この無愛想も、所詮《しょせん》は、ブルータスの奴、かわいそうに、おのれを相手の戦いで精一杯、他人に友情を示すゆとりを失ってしまったのだと、そう思ってくれればいい。

キャシアス　そうなのか、ブルータス、それなら、おれはとんだ誤解をしていたことになる。その誤解のためにこそ、おれはこの胸のうちに、ある考えを、由々《ゆゆ》しき大事を、一人でじっとおさえてきたのだ。いいか、ブルータス、きみには自分の顔が見えているのか？

ブルータス　何を言う、キャシアス、目がおのれを見うるのは、ただ反射によってだけだ、何かほかのものがなければ、見えるはずがない。

キャシアス　そのとおり、だから、みんな悔しがっている、ブルータス、きみにはその鏡が無いばかりに、自分の隠れた値うちをその目に映し、在《あ》るがままのおのが姿を眺《なが》めることが出来ないのだと。今までも度〻《たびたび》聞いたことがある、このローマの名士たち、もっとも神のごときシーザーは別だが、ずいぶん多くの人たちが、ブルータスの名を口にし、今の世の圧制を嘆じて、祈るように言うのだ、あの高潔なブルータスにこの目が貸してやれたらなと。

ブルータス　一体どういう危険におれを捲《ま》きこもうというのだ、キャシアス、そうして、おれにこの胸のうちを覗かせ、在りもしないものを引きださせようというのは？

キャシアス　そこでだ、ブルータス、まあ、聴け。自分で自分を見るには反射鏡が要ると言ったな、それなら、おれが鏡になろう、そして在りのままのきみを、きみ自身の知らぬきみの姿を映しだしてお目にかけよう。だが、おれを疑うなよ、ブルータス。おれは誰にでも友情を廉売《やすう》りする男か、相手が友だちだと言ってくれれば、見境なしに御座《おざ》なりの誓いを撒きちらす、そんな男に見えるか、人の前では尻尾《しっぽ》をふったり、じゃれついたり、そうしておいては、蔭にまわって悪口を言う、そんな男と思うなら、宴会の席で誰彼なくみなに友だち面を売り歩く、そんな男と思うなら、それなら、おれを危険な男と思うがいい。（遠くでトランペットの音、歓呼の声）

ブルータス　なんだ、あの叫び声は？　放ってはおけぬぞ、市民たちはシーザーを王に選ぼうとしているのかもしれぬ。

キャシアス　そう、放ってはおけぬと言うのだな、それを？　では、それがお気に召さぬと考えていいわけだな。

ブルータス　そうなのだ、キャシアス、もちろん、おれはシーザーを深く愛してはいる……しかし、何か用があるのか、こうしてさっきからおれを放そうとせぬが？　何が言いたいのだ？　もしそれが公のためになることなら、右の目には名誉を、左の目には死をさしだすがいい、おれはそれを二つながら平然と眺めよう。神々もお守りくださろう、このおれには名誉を愛する気もちの方が強いのだ、死にたいする恐怖よりも。

キャシアス　確かにきみのうちには、そういう強さがある、それをおれは知っているつもりだ、ブルータス、その顔を知っているように。そうなのだ、きみの言う名誉こそ、じつはさっきからおれが話したかったことなのだ……きみやほかの人たちが、この人生というものをどう考えているか、もちろんおれには解《わか》らない。だが、少くともこのおれは、ただいたずらに生きていたいとは思わない、自分と同列の人間を恐れながら生きるのなどはまっぴらだ。おれはシーザーと同様、自由な市民として生れた、きみだってそうだ。おれたちは同じものを食っている、同じ冬の寒さに堪えられる、何もあの男と違いはしない。そうだ、こんなことがあった、肌《はだ》を刺すような寒風の吹きすさぶ冬だ、ティベール川は荒れ狂って、両岸を嚙《か》んでいる。シーザーはおれを顧みてこう言った、「どうだ、キャシアス、おれと一緒にこの怒り狂う流れのなかに跳《と》びこみ、向う岸まで泳いでみる気があるか？」とな。その言葉の終らぬうち、おれは、着たものも脱がずに、いきなり水のなかに跳びこみ、ついて来いと言ってやった。言われたとおり、シーザーも続いて跳びこんだ。激流は轟々《ごうごう》と音をたてている、おれたちは力のかぎり、それにぶつかっていった、おたがいにわれ劣らじと、それを押しわけ弾《は》ねかえす。そこまではよかった、が、まだ目的の地点に着かぬうち、シーザーがついに悲鳴をあげた、「助けてくれ、キャシアス、溺《おぼ》れる！」と。われわれローマ人の先祖イーニアスはトロイ落城の日、父親を背負って焔《ほのお》のなかを脱け出したというが、あのときのおれがそうだった、ティベール川の波間からおれは疲れきったシーザーを救いだしてやったのだ。その男が今や神にされ、あのキャシアスは一匹のみじめな生きもの、シーザーのなんの気なしの頷《うなず》きにも、あわてて小腰をかがめていたらくだ。こんなこともあった、あの男がスペインで熱病にかかったときのことだ。発作がくるたびに、おれはこの目ではっきり見た。あの男、なんとたわいなく震えたことか。そうなのだ、生きながらの神ががたがた体を震わせているのだ。その脣《くちびる》は、軍旗を見うしなって逃げ散る弱卒よろしく、血の気を失い、一瞥《いちべつ》、世界を慴《しょう》伏《ふく》せしめるあの眼にも、すっかり光が失われていた。そしておれの耳はあの男の呻《うめ》くのを聞いたのだ。そうだった、口を開けば全ローマの市民が耳を傾け、かれらにその一語一語を書きとめさせずにはおかぬあの男の舌が、なんというざまだ、悲鳴をあげる、「何か飲むものをくれ、ティニアス」と、まるで小娘のように……ふざけるな！　一体どう考えたらいいのだ、こんな頼りのない男が全世界を尻目《しりめ》にかけて、勝利の栄冠を独《ひと》り占めにするとは。（歓声、トランペットの音）

ブルータス　また叫んでいるな！　間違いない、あの歓声は、シーザーのうえにまた何か新な名誉を加えようというのだろう。

キャシアス　おい、いいのか、奴は世界せましと立ちはだかっているのだぞ、あのローズ島の港に両脚《あし》かけて聳《そび》え立つ巨人像のように。そして、おれたち、けちくさい人間どもは、その股《また》の間を往き来しながら、せめておのれのために、恥ずべき墓穴を見つけたいものとあくせくしているのだ。人間、時にとっては、おのが運命をも支配する。とすれば、ブルータス、罪は星にあるのではない、われわれ自身にあるのだ、人の下風に立つも立たぬもな。ブルータスとシーザー、その「シーザー」という一語のなかに何があるというのだ？　どうしてその名がきみの名よりも、多くの人の口の端《は》にのぼせられるのか？　その二つを並べて書いてみるがいい、きみの名だって立派なものだ。一緒に並べて呼んでみるがいい、響きのよさに変りはあるまい。二つを秤《はかり》にかけてみるがいい、その重さは一つだ。呪文《じゅもん》の文句に使ってみるがいい、ブルータスはシーザー同様、たちまち鬼神を喚《よ》び起そう。それなら、ありとあらゆる神々の名にかけて知りたいものだ、このシーザーという男、一体、何を食らって、ああも偉く成りあがったのか？　当世というやつ、きさまも随分なめられたものだ！　われわれのローマ、貴様は昔ながらの高潔な血筋を断たれてしまったのだぞ！　いつの世にせよ、開闢《かいびゃく》以来、こんなことがあったろうか、すべての功績がただ一人の男に帰せられるというそんな馬鹿な話が？　今日までどんな時代の人間が、ローマを語って、ぬけぬけとこう言ったか、この都の広大な城壁がただ一人の男しか容《い》れられないと？　なるほど、大ローマとはよく言った、確かにローマは広い、ただ一人の男しか容れられない大広間だ。ああ、きみもおれも、よく父親から話を聴かされたものだ、かつてブルータスという男があった、その男は、ローマに王を許すくらいなら、むしろ悪魔にそれをくれてやるがよいと、固く信じていたという。

ブルータス　きみの友情を、おれは少しも疑ってはいない。おれに何をさせようとしているのか、それもだいたい察しはついた。そのこともあるし、今の時勢の動きについてのおれの考えも、いずれゆっくり話したいと思っている。ただ、今のおれとしては、勝手な話だが、頼む、しばらくそっとしておいてもらいたいのだ。きみの言ったことは、なおよく考えよう。また言おうとして言わなかったことについても、おとなしく耳を傾けるつもりだ。とにかく改めておたがいに会談の機会をつくろう、聞くにもせよ答えるにもせよ、事は重大だからな。それまでは、キャシアス、つぎの言葉をよく頭に入れておいてもらいたい。ブルータスは野にくだって土百姓となることを選ぶ、このままローマの子としての虚名を馳《は》せ、のしかかる圧制を甘受するくらいなら。

キャシアス　それで満足だ、おれの無力な言葉がブルータスの胸を打ち、たとえそれだけでも火花を散らせたかと思えばな。

二たびシーザーの一行がはいって来る。

ブルータス　競技は終ったらしい、シーザーが戻って来る。

キャシアス　行列がそばを通りすぎるとき、キャスカの袖《そで》を引いてみろ。例の皮肉な調子で、今日どんな大事件が起ったか話してくれるだろう。

ブルータス　そうしてみよう。だが、見ろ、キャシアス、シーザーの額が怒気を含んで紅《あか》らんでいる、ほかの連中ときてはまるで叱《しか》りとばされた奴隷の一群。キャルパーニアの頬は青ざめ、シセローは鼬《いたち》のように眼を血走らせている、すさまじい目つきだ、議事堂で元老院の連中と渡りあうとき、やつはよくあんな眼の色を見せる。

キャシアス　いずれキャスカが話してくれるだろう。

シーザー　アントーニアス！

アントニー　何か？

シーザー　いいか、おれのそばには肥《ふと》った男だけを置いてくれ、頭をきれいに撫《な》でつけ、夜はよく眠る男をな。あそこにいるキャシアスなどは瘦《や》せてひもじそうな様子をしている。あの男は物事を考えすぎる。ああいう手合いは危険だ。

アントニー　お気を使われるには及びますまい。危険なことはございません。あれは高潔なローマ人、ごく気のいい男でございます。

シーザー　もっと肥っていてもらいたいものだな！　いや、気にかけはせぬ。ただ、もしこのシーザーの名にとって気にかかる何者かがあるとすれば、まず誰よりも先に遠ざけねばならぬ人物が、あの瘦せたキャシアスだ。あの男は本を読みすぎる。なんでもよく見える。人のすることが底の底まで見とおしだ。やつは芝居が嫌《きら》いだ、お前とは違うな、アントニー。音楽も聴こうとしない。めったに笑わぬ。たまに笑えば、それはまるでおのれを嘲《あざけ》るような、そしてうっかり笑いを洩《も》らしたおのれの心をさげすむような、そんな笑いだ。ああいう男は自分より強大な人物を見ると、もうそれだけでおもしろくなくなる。だから、非常に危険だというのだ。いや、おれが言いたいのは、ただどういう人物が恐るべきかということだけだ、それをおれが恐れているということではない。いかなるときにも、おれはシーザーだからな。右に来てくれ、こちらの耳は聞えないのだ、あの男をどう思っているか、ひとつお前の本音を聞かせてくれぬか。（トランペットの吹奏とともに、行列去る）

キャスカ 引きとめたのは、何か用か？

ブルータス うむ、キャスカ、教えてくれ、何かあったらしいな、今日は？ シーザーの顔つきがひどくおもしろくなさそうだった。

キャスカ なんだ、今、一緒にいたのではなかったのか？

ブルータス それなら、キャスカに訊《き》きはしまい、何かあったかなどと。

キャスカ なんのことはない、みながシーザーに王冠を捧《ささ》げようとしたのだ。それを見て、シーザーは手の甲で、こうしてそれを卻《しりぞ》けた。そこで、みな、どっときた。

ブルータス 二度目の騒ぎは？

キャスカ やはり同じさ。

キャシアス 歓声は三度あがったな、最後のはどういうわけだ？

キャスカ やはり同じことさ。

ブルータス 王冠を三度も捧げたというのか？

キャスカ そう、そのとおり。そしてシーザーは三たびそれを卻けた、あとになるほどやさしくさ。そしてそれが卻けられるごとに、わが正直なる同胞諸君が歓声をあげたというわけさ。

キャシアス　誰だ、王冠を捧げたのは？

キャスカ　それは、アントニーさ。

ブルータス　そのときの様子を話してくれ、キャスカ。

キャスカ　それを話すくらいなら、いっそ首を縊《くく》られたほうがいい。まったく馬鹿げている、ろくに見もしなかった。なるほど、アントニーが王冠を捧げた、いや、王冠というほどのものではない、よくある普通の冠だ。それを、今も話したように、シーザーはとにかく卻けた。卻けはしたものの、それがおれの目には、いかにも物ほしげに映った。すると、相手はまたそれを捧げる、奴はまた卻ける。が、おれの目には、引きこめる手の指先がひどく未練ありげに見えた。そのあとで、相手はまた三たびそれを捧げる、そして奴は三たびそれを卻けたのだ。その間、奴が拒絶するたびごとに、野次馬連は歓声をあげる、ひびだらけの手を叩《たた》く、汗くさい帽子を抛《ほう》りあげるという始末、シーザーが王冠を拒絶したぞと、あたり一面、臭い息で一杯、おかげでシーザーは息も出来なくなってしまったらしい。なにしろ気が遠くなって、その場に倒れてしまったくらいだ。おれはといえば、笑うわけにもいかない、うっかり開けた口から毒気を吸いこんだら事だからな。

キャシアス　待ってくれ。シーザーが気を失ったと？

キャスカ　広場の真中にぶっ倒れてしまったのだ、口から泡《あわ》を吹き、ものも言えぬ始末さ。

ブルータス ありそうなことだ、あの男、癲癇《てんかん》が持病だからな。

キャシアス いいや、癲癇はシーザーではない、きみだ、おれだ、このキャスカだ、倒れて泡を吹くのは。

キャスカ 何が言いたいのか知らぬが、とにかくおれはシーザーが倒れるのをこの目で見たのだ。嘘《うそ》は言わぬ、あのぼろ屑《くず》めら、シーザーの出方が一々気に入った、いや、気に入らぬで、そのたびに手を叩いたり、野次ったり、まるで芝居小屋で役者の芸でも眺《なが》めているつもりなのだ。

ブルータス それで、シーザーは正気に返ったとき、なんと言った？

キャスカ そこなのだ、昏倒《こんとう》するまえ、自分の拒絶が大衆に受けたと見てとるや、いきなりぐいと胸をはだけて、さあ、のどを切れと言ったものだ。もしおれがその辺の市民であってみろ、奴の言葉どおりその場で命を貰わずにおくものか、さもなければ、悪党ばらと一緒に地獄に落ちてやる。そして、奴は倒れた。が、やがて正気に返ったときの言い草はどうだ、万一、みなに変なことを言ったり、したりしたとしても、何もかも病気のゆえと見のがしてもらいたい、奴はそう言うのだ。それを聞いて、三四人の女連が、おれのそばで、金切声を張りあげて言う、「あんな、いいお方が！」と、そして、すべてを心から許してやろうというわけさ。いや、あんな奴らは、どうあろうと構いはしない、シーザーに自分のおふくろを手籠《てご》めにされても、やはりそう言う手合いだからな。

ブルータス そのあと、すぐここへ、で、おもしろくない顔をして、ひとまず引揚げて来たというわけなのだな？

キャスカ　そうなのだ。

キャシアス　シセローは何か言ったか？

キャスカ　言った、ギリシア語を喋《しゃべ》った。

キャシアス　なんと言ったのだ？

キャスカ　何を言うのだ、それが答えられるくらいなら、二度とお目にはかからぬ。とにかく、解《わか》った連中はおたがいに顔を見合わせて、にやにや笑いを浮べ、首を振っていたが、このおれには、文字どおり、ちんぷんかんぷんのギリシア語だった。ところで、話はまだあるのだ。護民官のマラスとフレイヴィアスが、シーザーの像から飾りつけを引剝《ひきは》いだというので、職を免ぜられたそうだ。これで失礼する。まだまだあるのだ、馬鹿らしいことが、一々覚えていられないほどだ。

キャシアス　今夜、一緒に食事をしないか、キャスカ？

キャスカ　いや、すでに約束があるのだ。

キャシアス　それなら、あすの昼食を一緒にしよう。

キャスカ　いいだろう、もしおれが生きていて、きみの気も変らず、料理もまた食うに値すればの話だが。

キャシアス　よし、待っているぞ。

キャスカ　いいだろう、では、これで。（退場）

ブルータス　奴もすっかり性根が鈍ってしまったな！　あれで学校時代はじつにきびきびしていたのだが。

キャシアス　いや、今でもそうだ、何か思いきった大事を決行するとなると、外見ののろさとはまったく違ったところを見せる。あの開け放しのところが、かえって持前の機智に味をきかせているのだ。それが人の食欲をそそり、奴の言葉を喜んで賞味させることにもなる。

ブルータス　それもあるな……今のところは、これでお別れとしよう。明日にでも、何か話があればだが、こちらから訪ねよう。それとも、その方がよければ、家へ来てもらってもいい、待っている。

キャシアス　よし、おれが訪ねよう。それまで事態をよく考えておいてくれ。（ブルータス退場）うむ、ブルータス、きさまは高潔の士だ。が、なあに、その立派な精神も細工ひとつ、持前の性質とは違ったものに仕立てあげられぬでもあるまい。だからこそ、高潔の士はつねに高潔の士を友としなければならぬわけだ。どこにいるな、おだてにのらぬほど厳《きび》しい人間が？　シーザーはおれを嫌《きら》っている、が、ブルータスはかわいがっている。もしこのおれがブルータスで、やつがキャシアスになったとしても、おれなら、そんな甘やかしに乗ぜられはしないのだが。よし、今夜、いろいろ筆蹟《ひっせき》を変えて、ブルータスの家の窓に手紙を抛りこんでやろう。市民がよこしたように見せかけるのだ。それには、いかにローマ人がブルータスの名に絶大な期待をよせているかを書き、ついでにそれとなくシーザーの野心を仄《ほのめか》しておくのだ。そうなったら、いいか、シーザー、しっかり椅子につかまっていろよ、精こゆさぶってやるからな、それでも落ちねば、事態はもっと悪くなる。（退場）

〔第一幕　第三場〕

3

〔I-3〕3

前場に同じ

夜なか。雷、稲妻。

一方からは抜剣のキャスカ、他の一方からはシセローが出て来る。

シセロー　やあ、キャスカだな。シーザーを家まで送って行ったのか？　どうしたのだ、息を切らせて？　眼が据《すわ》っているではないか？

キャスカ　なんともないのか、きみは、この大地が平衡を失い、まるで頼りのないもののように揺れ動いているというのに？　聴《き》いてくれ、シセロー、あらしならおれも知っている、吹きつのる烈風が節くれだった檞《かしわ》の木を引き裂くのを見たことがある。猛《たけ》り狂う高潮が見る見るうちに膨《ふく》れあがり、怒り泡《あわ》だち、不気味に押しかぶさる黒雲に挑《いど》むのを見たこともある。だが、今夜のようなのは始めてだ、今まで出遭《であ》った覚えがない、火の雨を降らすあらしなどというものは。天界に内乱でも起ったのか、それとも人間どものあまりの不遜《ふそん》に怒りを発した神々が、この世を打滅そうとの思召《おぼしめ》しか。

シセロー　何を言う、まだほかに怪しいものでも見たというのか？

キャスカ　例の市の奴隷だ――きみも見てよく知っている――奴め、左手を高く上に伸していた、見ると、それが焔《ほのお》を吹いて燃えている、まるで大束の炬火《たいまつ》のように。しかもその手が火を感じない、火傷《やけど》もせずにじっとしているではないか。まだある――あれから、おれはずっとこうして抜身のままだ――そうだ、議事堂の前で獅子《しし》に出遭ったのだ、そいつはおれをじっと睨《にら》んだまま、べつに危害を加えようとするでもなく、むっつりした顔つきで通りすぎた。すると向うに一かたまりになって集っているものがある、百人ばかりの女の群だ、恐怖に蒼《あお》ざめ、生きたそらはない。それが口々に言うのだ、全身焔にくるまった男たちが街々を練り歩くのを見たと。それに、きのうは、夜の鳥が、真昼間だというのに、広場に舞い降りて、たえず鳴きたてていたそうだ。こうしていろんな前兆が一どきに起っている、それを、むげに卻《しりぞ》けられはしまい、「いずれも然《しか》然《じか》の理由あってのこと、少しも不思議はない」などと。いや、それこそ、思うに、この国に何か不吉なことの起る前知らせに相違ないのだ。

シセロー　そのとおり、まったく訳の解らぬ雲行きさ。しかし、人はとかく自分流の解釈をくだすものだ、事物本来の姿がさし示すものとは離れてな。シーザーは明日、議事堂に来るだろうか？

キャスカ　来る。アントーニアスにきみへの伝言をことづけていたからな、あす議事堂へ来てくれと。

シセロー　おやすみ、キャスカ。こんな荒れ模様の夜空、下手《へた》に出歩く手はないぞ。

キャスカ　では、また会おう、シセロー。（シセロー退場）

入れ違いにキャシアスが現れる。

キャシアス　誰だ？

キャスカ　ローマ人。

キャシアス　キャスカだな、その声は。

キャスカ　耳がいいな。キャシアス、なんという晩だ！

キャシアス　大いに楽しい晩だ、心正しきものにはな。

キャスカ　誰もかほどに天の威嚇《いかく》があろうとは、夢にも思わなかったろう。

キャシアス　この大地に満ちた不正の数〻を知らぬ連中はな。が、おれは違うぞ。さっきからおれは、辻〻《つじつじ》をさまよい歩き、恐しい夜の闇《やみ》にわれとわが身を委《ゆだ》ね、これ、こうして、キャスカ、衣の前をはだけ、雷石に胸をさらしてきた。そして、あの青い稲妻が天の胸を鍵裂《かぎざ》きに押し開いて迸《ほとばし》り出た瞬間、おれはわが身を的に、その電光をはっしと受けとめたのだ。

キャスカ　だが、どうしてそんな天を試みるような真似をするのだ？　人たるもの、恐れ慎むのが分ではないか、全能の神〻が前兆をもって禍を知らせ、われわれの胆《きも》を冷やそうというならば。

キャシアス　たわいもないことを言うな、キャスカ、ローマ人なら誰にもあるあの命の火花が、どうやらきみには無いと見える、有っても用いる気がないらしい。ただもう顔は蒼《あお》ざめ、目は据《すわ》り、恐怖に身をゆだねて呆然《ぼうぜん》と、この不気味な天の怒りを眺めやる以外に能がないのか。だが、一度でもいい、その真因をたずねてみたなら、そうだ、この火の雨は一体どういうわけか、さすらい歩く亡霊たち、日頃の習性にたがう鳥獣どもの怪しげなふるまい、それは一体どういうわけか、いや、老人が愚行を演じ、子供の智慧《ちえ》がかえって光を見透す、そこには一体どういうわけがあるのか、こうしてすべてが常軌を逸し、その本性、機能を変じて、奇怪な様相を呈《てい》するのは、そこをよく考えてみさえすれば、そうではないか、きっと解るはずだ、天の降したもうたそれらの変異も、つまりは威《おど》しと戒《いまし》めの手だてに過ぎず、それをとおしてこの下界の奇怪な政情を思い知らせようがためだということが。そこまで言えば、キャスカ、はっきり人の名を挙げてもよかろう。そいつはこの恐しい夜の姿そのまま、雷鳴を轟《とどろ》かせ、稲妻を発し、墓をあばき、そして雄《お》叫《たけ》びをあげているのだ、それ、あの議事堂の獅子のようにな。一人の人間としては別に偉くもなんともない、きみやおれと少しも変りはしない。しかも、それが、いつのまにか伸びあがり、周囲を圧し恐れしめるものとなってしまったのだ、暴威をほしいままにするこの不気味な自然の姿そのままに。

キャスカ　シーザーのことを言うのだな、そうではないか、キャシアス？

キャシアス　誰でもいいさ。なんにせよ、ローマ人たち、今では、その筋肉、五体はなるほど祖先と同じものだが、ふん、情ない御時世だ！　父親の魂はすでに死んで今や跡方《あとかた》もなし、今日われらを支配するはただ母親の心のみ。こうして軛《くびき》に耐えるおれたちの忍従の姿は、どう見ても女のものさ。

キャスカ　なるほど、聞けば、元老院は明日シーザーを王位につけようとしているとのこと。そうなれば、その頭に戴《いただ》く王冠は海陸を統《す》べてあまねく、イタリーを除いて地上いたるところに光り輝くだろう。

キャシアス　おれは知っているぞ、そのときこそは、この短剣をひと振り、その刃の光をどの胸にかざしたらよいかを。キャシアスはおのが奴隷の境涯から、みごとキャシアスを救いだして見せるぞ。神よ、こうしてあなた方はつねに弱者を、このうえもなく強いものにしたもうたのだ。そうだ、神よ、そうしてあなた方はつねに暴君を挫折《ざせつ》させてきたもうたのだ。かつて、いかなる石の櫓《やぐら》も、いかなる金城鉄壁も、いかに毒気の澱《よど》める土牢《つちろう》も、いかに強固な鉄の鎖も、毅然《きぜん》たる精神をおさえつけることは出来なかった。人の命の力は、そうした現世の障碍《しょうがい》に耐えられぬ。それがいやになれば、いついかなるときでも、われとわが身をそこから脱出させる力に事欠きはしない。そうなのだ、おれと同様、誰もかれもがはっきり知ってもらいたいのだ、今こうしておれが耐え忍んでいる圧制も、その気になれば、いつでもこの手で払いのけられるものだということを。（雷鳴止《や》む）

キャスカ　おれにも出来る。同様、どんな奴隷でも、おのれの手で囚《とらわ》れの境涯を打ち切る力はもっているはずだ。

キャシアス　それなら、なぜシーザーを暴君にさせるのだ？　かわいそうに！　あの男だとて、好きこのんで狼《おおかみ》になりはしまい、ローマ人を挙《あ》げて羊の群と思いさえしなければな。獅子にもなるまい、ローマ人が牝鹿《めじか》でなければな。人、もし大いなる火を急ぎ起さんと欲せば、小なる藁《わら》しべをもって始めよという。ふん、ローマは焚《た》きつけか、ただのがらくた、ぼろ屑《くず》か、シーザーのごときやくざな代物《しろもの》を照しだすため、喜んで塵芥《じんかい》の役を演じようとは！　待て、悲しみが、ああ、貴様はおれをどこへ連れて行こうというのか？　今、おれがこうして話をしている男は、おそらく奴隷の境涯にいつまでも甘んじていよう気かもしれぬ。それなら、おれは自分の言葉に責任をとらねばなるまい。だが、覚悟は出来ている、わが身の危険など、もとより意に介しはしない。

キャスカ　その話を聴《き》いている相手の男はキャスカだ、鼻で笑って告口をする、そんな裏切者とは違うぞ。さあ、この手をとれ。一刻も早く同志を語らい、あらゆる禍の根を絶つにしくはない。おれも一旦思いたったからには、この脚《あし》の続くかぎり、どこまででも行って見せるぞ。（二人、手を握りあう）

キャシアス　これで取引きはすんだ。今となれば、言っておこう、キャスカ、おれはすでに二三のもっとも高潔なローマ人の心を動し、おれとともに一つの名誉ある危険な仕事に手をくだすよう同意を得ているのだ。いや、今頃は、ポンペイ劇場のポーチで　みんなおれを待っているはずだ。なにしろ、こんな恐しい晩のことだ、街ゝには人っ子一人通らず、それに、どうやらこの空の形相《ぎょうそう》、こうしておれたちが手をくだそうとしている仕事にふさわしく、血のように紅ゝと映え、すさまじさの限りを尽しているからな。

シナが近づいて来る足音。

キャスカ ちょっと待て、隠れろ。誰か急いでこちらへやって来る。

キャシアス シナだ。足音でわかる。仲間だ。シナ、急いでどこへ行くのだ？

シナ きみを捜していたのだ。誰だ、それは？ メテラス・シンバか？

キャシアス 違う、キャスカだ、おれたちの企てに荷担してくれる一人だ。みんなおれを待っていはしないか、シナ？

シナ それはよかった。なんという恐しい夜だろう！ 仲間のうちにも、怪異を見たと言うものがいる。

キャシアス みんなおれを待っていはしないか？ 聞かせてくれ、様子を。

シナ もちろん、待っている。しかし、キャシアス、あとはきみの力であのブルータスを一味に引きいれてくれさえすれば――

キャシアス 安心するがいい。シナ、この紙裂《き》れを持って行ってくれ、そして、いいか、そいつを法務官の椅子のうえに置いておくのだ、すぐブルータスの目につくようにな。それから、これをあの男の家の窓に投げこんでくれ。こいつは蠟《ろう》で大ブルータスの像にしっかり貼《は》りつけておくのだ。それをすませたら、ポンペイ劇場のポーチに来てくれ、みんなで待っている。ディーシアス・ブルータスやトレボーニアスも来ているだろうな？

シナ　みんな揃《そろ》っている、メテラス・シンバのほかは。あれはきみを呼びに家まで行ったはずだ。では、大急ぎで、命令どおり、この紙片をかたづけて来るとしよう。

キャシアス　すんだら、ポンペイ劇場に来るのだぞ。（シナ退場）さあ、キャスカ、われわれ二人は夜明けまえにもう一度ブルータスの家を訪ねよう。あの男の腹は、もう七分どおりこっちのものだ。もう一度、会いさえすれば、まるまるこっちのものになる。

キャスカ　そうだ、あの男は万人の心の偶像だ。おれたちの場合なら罪と見えることも、あの男の支持を得れば、あたかもみごとな錬金術《れんきんじゅつ》よろしくだ、そのまま美徳と価値に変貌《へんぼう》する。

キャシアス　あの男の人物、その値うち、そしてわれわれがそれを必要としていること、まさにきみの言うとおりだ。さあ、行こう、もう夜中も過ぎた、夜明けまえにはあの男の心を動し、完全にこちらのものにしておきたいからな。（二人退場）

〔第二幕　第一場〕

4

ブルータス邸の庭

ブルータスが出て来る。深い想《おも》いに沈み、あちこち歩き廻っている。やがて、背後の開いた戸口から内に向って呼ぶ。

ブルータス　おい、ルーシアス、おおい！　星の動きだけでは見当がつかぬ、夜明けまでどのくらいあるのかな。ルーシアス、呼んでいるではないか！　おれも、人に悪口を言われるくらい、ああしてぐっすり眠りこけたいものだ。何をしているのだ、ルーシアス、何を？　目を醒《さま》さないか！　おい、ルーシアス！

ルーシアスが出て来る。

ルーシアス　お呼びになりましたか？

ブルータス　部屋に燈《あか》りをつけてくれ、ルーシアス。用意が出来たら、すぐ呼びに来い。

ルーシアス　畏《かしこま》りました。（引きこむ）

ブルータス　（ふたたび物想いに沈む）どうしても奴の死が必要だ。もちろん、おれには、奴を蹴《け》ばす個人的理由は一つもない、すべては公のためだ——あの男は王冠をほしがっている。それが奴の人間をどう変えるか、そいつが問題だ。うららかな日は、きっと蝮《まむし》を誘いだす。そういうときこそ、用心して歩かねばならぬのだ……あの男に王冠を！——そこだ！　それこそ、いわば、奴に毒の舌をくれてやるようなものだ。その気になれば、その一刺でいつでも人に危害を加えうる。権力の座に慣れれば、力に溺《おぼ》れて憐《あわれ》みを失うものだ。正直に言って、シーザーという男、今日までおれは、奴が私情のために理性を卻《しりぞ》けるのを見たことがない。それにしても、ありがちのことだ、身を低きに置くのも、所詮《しょせん》は若き野心が足をかける梯子《はしご》のたぐい、高みに昇ろうとするものは、かならずそれに目をつける。が、この梯子、一度天辺《てっぺん》を極めてしまえば、もう用はない、そしらぬ顔で背を向けて、目ははるか雲のかなたに預け、それまで登ってきた脚下の一段一段に蔑《さげす》みの足蹴《あしげ》を食わせるのだ。その手をシーザーも使いかねない。それなら、その手を食わぬよう、機先を制するのだ。ただ、今のところ、あの男を弾劾《だんがい》するだけの名分がない。まず、この手で行くより仕方はあるまい、あの男、現在はとにかく、やがて力を増せば、これこれの暴虐非行を演じかねぬ、かかる人物こそ蛇の卵と見なさねばならない、孵《かえ》れば、その仲間のつね、きっと人に害を及そう、殼のうちに殺してしまうにしくはないとな。

ルーシアスがもどって来る。

ルーシアス　お部屋に火がともりました。燧石《ひうちいし》を捜そうとして窓のあたりをうろうろしておりましたら、この手紙が封をしたまま落ちておりました。確か、さきほど休みますまえには、何もございませんでしたが。（手紙を渡す）

ブルータス　もう一寝入りするがいい、まだ夜は明けぬ。明日はたしか三月十五日だな？

ルーシアス　さあ、それは。

ブルータス　暦を見てきてくれ。

ルーシアス　畏りました。（入る）

ブルータス　流星が空を飛び交《か》っている、この明るさなら、字も見えるだろう。（封を切って、手紙を読む）「ブルータス、お前は眠っている。目を醒し、おのれを見つめよ。ローマはついに、以下、あえて言うを俟《ま》たぬ。いざ、口を開け、斃《たお》せ、そして救え……」うむ、「ブルータス、お前は眠っている。目を醒せ」か。こうした唆《そそのか》しの手紙を、おれはもう何度も拾った。「ローマはついに、以下、あえて言うを俟たぬ」と。それを補えば、こうなろう、ローマはついに一人の男の前に慴伏《しょうふく》せしめられるのか？　おお、ローマが？　おれの祖先たちはローマの町から、あのタークィンを追いだした、王に奉られたタークィンを。「口を開け、斃せ、そして救え」と。このおれにそれを求めるのか、口を開き、そして斃すことを？　おお、ローマ、おれは約束する、もしそれでお前が救えるものなら、なんなりと望め、ブルータスの手はお前のものだぞ！

ルーシアスがもどって来る。

ルーシアス　はい、確かに三月はもう十五日になっております。（戸を叩《たた》く音）

ブルータス　よし。表を見て来い、誰か戸を叩いている。（ルーシアス出てゆく）キャシアスからはじめてシーザーを斃せと唆されて、それからというもの、おれは一睡もしていない。恐しいことをいざやってのける、そのときまで、最初にそれを思いたったときからというもの、すべての時間が怪しい幻さながら、まるで悪夢のように過ぎて行く。心と手脚《てあし》が密議をこらし、ついには一個の人格も小さな王国の運命同様、収拾のつかぬ混乱に陥るのだ。

ルーシアスがもどって来る。

ルーシアス　御義弟のキャシアス様がお見えになりました、お目にかかりたいとおっしゃっておいででございます。

ブルータス　一人か？

ルーシアス　いいえ、お連れの方、いくたりかと御一緒で。

ブルータス　お前の知っている連中か？

ルーシアス　いいえ、それが、皆様、頭巾《ずきん》を目ぶかにかぶっておいでになり、お顔を外套《がいとう》の襟《えり》で隠していらっしゃるので、どなたともつい見分けがつきかねましてございます。

ブルータス　よし、通せ。（ルーシアス出てゆく）一味のものだ。陰謀の悪魔め、さすがの貴様も恥しいのか、ありとあらゆるまがごとがわがもの顔に跳梁《ちょうりょう》する真夜中でも、その恐しい額を見せたくないとみえるな？　それなら、昼はどうするのだ、どんな暗黒の洞窟《どうくつ》にそのものすごい御面相を隠そうというのか？　よせ、そんなむだ骨おりは、それよりは微笑と愛想の陰に隠れるがいい。さもなければ、いや、素顔のままで出歩きでもしてみろ、暗黒地獄のエレボスもその生地のあやめを隠しおおせるほど暗くはあるまい。

キャシアス、キャスカ、ディーシアス、シナ、メテラス、トレボーニアスが登場。

キャシアス せっかく休んでいるところを大勢で押しかけてすまない、お早う、ブルータス、迷惑ではなかったか？

ブルータス 一時間も前から起きていた、夜どおし、ついに眠れずだ。おれの知っている人たちか、そこにおられるのは？

キャシアス もちろんだ、みんな。そして、ブルータスを尊敬しているものばかりだ。さらに、その一人一人がきみに望んでいる、あらゆる高潔なローマ人がきみにたいして寄せている気もちを、まず、きみ自身、みずからにたいして懐《いだ》いてもらいたいものと。これがトレボーニアスだ。

ブルータス よく来てくれた。

キャシアス こちらは、ディーシアス・ブルータス。

ブルータス ようこそ、きみも。

キャシアス こちらが、キャスカ、つぎが、シナ、それから、メテラス・シンバ。

ブルータス みんな、よく来てくれた。一体どんな心配事が降って湧《わ》いたというのか、何がきみたちの目をそうして夜の憩いから追いたてるのだ？

キャシアス ひとこと話したいことがあるのだが？（ブルータスと二人、離れて私語する）

ディーシアス こちらが東だな、日の出はこの辺になるのではないか？

キャスカ　いや、違う。

シナ　え、いや、そうだ、見ろ、向うを、灰色の線が雲をだんだら縞《じま》に浮きあがらせている、あれが何より日の出の前触れさ。

キャスカ　なに、すぐ二人とも兜《かぶと》を脱ぐさ。それ、この剣の先、この辺になる、日が昇るのは。だいぶ南に寄っている、まだ季節が熟していない、やっと春になったばかりだからな。もう二月もすれば、ずっと北寄りに高く火の玉を打ちあげるさ。とにかく、真東は議事堂のあたり、まさにこの方角になる。

ブルータス　さあ、みんな、手を、一人一人。

キャシアス　そして、われわれの決意を誓いあおう。

ブルータス　いいや、誓いは要《い》らぬ。民の心の動き、われらの心の痛み、時代の弊風、それでもまだ――それだけでは動機がたりぬと言うなら、今すぐやめてしまうがいい、みんな家へ帰って、いぎたなく眠りこけていたほうが、よほどましだ。そうして、傲岸不《ごうがんふ》遜《そん》の暴君に思うさま羽をのばさせるのだ。こちらは行き当りばったり、やがて片端から一人一人倒れてゆくだけのこと。だが、今言った大義名分に不足がないなら、大丈夫、おれはそう信じている、もしその焔が惰夫の心を燃えたたせ、婦女子のような胸を鋼と鍛える熱をもっているならば、あえて同胞諸君にたずねる、それなら、このうえどんな拍車が必要だと言うのだ、やみがたき救国の念にわれらを駆りやるこのわれら自身の大義名分のほかに？　ほかにどんな証文がほしいと言うのか、ひとたび口にだした以上、決して逃げも隠れもせぬローマ人の節操のほかに？　いや、どんな誓いがあればよいと言うのか、男の真心に男の真心だけが応《こた》える、それでも不足なのか、かくあるべし、しからずんば死と誓っている男の真心だけでは？　誓いなどは、坊主か、弱虫か、二枚舌の輩《やから》か、耄碌爺《もうろくじじい》か、それともどんな不正でも喜び迎える腰ぬけどもに、任せておくがいい。不義のたくらみには誓いも要ろう、それこそいかがわしい奴らの常套手段《じょうとうしゅだん》だ。だが、われわれの場合、事の正しさ、不羈《ふき》の志を、いたずらに汚《けが》したくはない、とすれば、われわれの名分や行動に誓いが要るなどとは考えるな。そうではないか、血の一滴一滴が、すべてのローマ人の体内を流れ、その誇りとする血が、みずからおのれの不純を恥じよう、たとえ些細《ささい》なことでも、ひとたび口に出した言葉をわれから破るようなことでは。

キャシアス　ところで、シセローはどうする？　いちおう当ってみるか？　同志として恃《たの》むにたる男だと思う。

キャスカ　放っておく手はない。

シナ　そうだ、言うまでもない。

メテラス　うむ、仲間になってもらおう。あの白髪は受ける、われわれの行為にたいして大衆の支持を得るよすがとなろう。世人はきっと言う、われわれの手を導いたのはあの男の頭脳だと。向う見ずの若さも表にたたず、すべてはあの重厚のかげに隠されるのだ。

ブルータス　いや、あれはいけない。あの男には黙っていたほうがいい。なんにせよ、人の手をつけたことについてくる男ではないからな。

キャシアス　それなら放っておこう。

キャスカ　なるほど、まずいところがある。

ディーシアス　相手はただ一人シーザーだけにするのか？

キャシアス　ディーシアス、よく気がついたな。おれに言わせれば、マーク・アントニーがいる、あれほどのシーザーのお気に入りだ、あの男をシーザーのあとまで生しておきたくはない。あの男、どう見ても、狡猾《こうかつ》な策士だからな。あれだけの勢力、動しようによっては、相当なものになり、ついにはおれたちの手に負えぬものともなりかねない。それを封じるには、アントニーとシーザーをともども斃してしまうに越したことはあるまい。

ブルータス　遣《や》り口があまり残忍すぎはしないか、ケイアス・キャシアス、首を斬《き》ったうえになおも手脚を断ち、憎しみのあまり、殺してもまだ足りぬとでもいうようだ。アントニーはシーザーの手脚でしかないからな。おれたちの役目は祭壇に生贄《いけにえ》を捧《ささ》げることだ、屠《と》殺者《さつしゃ》になりたくはない、なあ、ケイアス。立って罪をならすべきはシーザーの精神だ、その精神というやつには血がない。出来ることなら、シーザーの精神だけを捉《とら》えて、その肉を傷つけずにすませたいのだ！　が、そうはゆかぬ、となれば、やむをえない、シーザーに血を流してもらわねばならぬのだ！　おれはきみたち仲間に言っておきたい、恐れることなくシーザーを殺そう、それはよい、が、憎しみに身を委《ゆだ》ねてはならぬ。いわば神〻への捧げもの、その気もちで手をくだすのだ。犬に食わせる死肉なみに切りきざむ法はない。おのれの心を御するに、よろしく抜けめのない主人の筆法を利用すべきだ、つまり、我から召使をそそのかして乱暴を働かせておきながら、あとでちょっと叱《しか》るふりをして見せるという手がある。そうすれば、われわれの目的も、やむにやまれぬものであり、決して私怨《しえん》から出たものではないということになる。ひとたび民衆の目にそう映じれば、われわれはただ粛清にのりだしただけのこと、人殺し呼ばわりはされずにすもう。マーク・アントニーのこともあるが、それは考えるな。あの男の出来ることといえば、シーザーの首がとんでしまえば、精々その手の役割があれの仕事だからな。

キャシアス　それにしても、奴は危険だ、深くシーザーを愛しているその気もちが――

ブルータス　まあ、いい、キャシアス、あの男のことは考えるなと言うのに。それほどシーザーを愛しているなら、あの男に出来る精一杯の復讐《ふくしゅう》はおのれにたいして手をくだすこと、つまり悲しみに身を浸し、シーザーのために死ぬことくらいだ。いや、それだけでも、あの男にしては大出来というもの。なにしろ、遊び好きで、放蕩者《ほうとうもの》で、賑《にぎや》かなことの好きな人間だからな。

トレボーニアス　大して恐れることはあるまい。殺さなくてもいい。今度のことも、あとになれば、笑い話の種にする男だ。（時計の音）

ブルータス　静かに！　時計が鳴る、数えろ。

キャシアス　三つ打ったな。

トレボーニアス　そろそろ失礼したほうがいい。

キャシアス それにしても、はっきりしたことはまだ解《わか》らないな、シーザーの奴、今日、出て来るかどうか。このごろ、ひどく迷信深くなったようだからな。昔はまるきり反対で、幻覚だの、夢だの、前兆だのということは、ぜんぜん受けつけなかったものだが。そうなると、最近ひきつづいて起る不吉な現象といい、始めて見るこの恐怖の夜といい、それに占師どもに強く言われてみると、奴、議事堂に出る気がしなくなるかもしれないぞ。

ディーシアス そのことなら心配は要《い》らぬ。どうしてもいやだと言いだしたら、おれが説き伏せてみせる。というのは、あの男、こういう話が好きなのだ。たとえば、一角獣を生捕《いけど》るには立樹を使うに限るし、熊なら鏡、象は陥穽《おとしあな》、ライオンは罠《わな》、そして人間をものにするにはおだてが一番だといった話が。ところで、あなたはおだてが嫌《きら》いだと言ってやると、あの男、そのとおりだと答える、それこそ一番おだてに乗っているわけだ。おれに任せてくれ。おれなら、あの男の気ちをどうにでも操《あやつ》れる。みごと議事堂に連れだしてみせよう。

キャシアス それより、みんなで呼びだしに行ったほうがいい。

ブルータス 八時と決めよう、それより遅くならぬほうがよくはないか？

シナ 遅くならぬほうがいい。では、間違いなく。

メテラス ケイアス・リゲーリアスのことだが、あの男もシーザーに含むところがあるのだ、ポンペイを褒《ほ》めて、ひどく不興を買ったとか。みんな、どうしてあの男のことに想《おも》いおよばぬのか解らない。

ブルータス では、メテラス、ついでにリゲーリアスのところへ寄ってくれ。おれには好意をもっているはずだ。こちらにもそれだけの理由はある。ここへ来るように言ってくれないか。ひとつ説き伏せてみよう。

キャシアス そろそろ夜が明ける。引きさがるとしよう、ブルータス。さあ、みんな、解散だ。いいか、忘れるなよ、口にしたことを、そしてめいめい真のローマ人としての行いを示してくれ。

ブルータス さあ、みんな、元気に屈託なくふるまうのだ。色を顔にだすな。わがローマの悲劇役者が手本だ、不屈の勇気と毅然《きぜん》たる平静とを身につけるのだ。いいな、では、これでお別れとしよう。（ブルータス一人になる）おい！ ルーシアス！ すっかり寝こんでしまったか！ それもいい、蜜《みつ》のような甘い眠りを楽しむがいい。お前には夢も幻もないのだな、この世の煩《わずら》わしい心づかいが人の脳裡《のうり》に描きだすあの夢も幻も。それでこそ、そうしてぐっすり眠れるのだ。

妻のポーシャが家から出て来る。

ポーシャ ブルータス！

ブルータス ポーシャ、どうしたのだ？ 今ごろどうして起きて来た？ 体によくないぞ、ひよわな身を厳しい朝の冷気にさらすのは。

ポーシャ それなら、あなたにも。それにしても、ひどいなさりよう、ブルータス、私を置き去りに、そっと寝床を脱けだしたりなさって。それに、ゆうべは、食事のとき、急に席をお立ちになり、部屋をぐるぐる歩き廻る、腕組みをして、じっと物思いに沈みこみ、ときどき溜息《ためいき》をお吐《つ》きになる。どうなさいましたとお伺いしても、冷い目で私をお睨《にら》みになるだけ。なお繰りかえしお訊《たず》ねすると、髪をむしるようになさり、いらだたしげに床をお踏みつけになる。それでも諦《あきら》めずに、お答えをと申しあげても、やはり何もおっしゃってはくださらず、まるで怒ってでもいらっしゃるように手をお動しになる、さも出て行けとおっしゃらんばかりの御様子。私、やむなくそのとおりにいたしました。おいらだちをお募らせするのも心なきこと、それでなくても、大層興奮しておいでてでしたし、あるいは、これも一時の不機嫌《ふきげん》、男の方には誰にもよくありがちなことゆえと存じまして。でも、そのため、食べるものもお食べにならず、ものもおっしゃらず、ろくにお眠りにもならない。そのままでいらして、もしお体に障《さわ》り、すっかり変りはてておしまいになったら、だって、その御気分をそこなったものが同じようにお姿を変えぬとは申せますまい、そうなったら、ブルータス、私にもあなたの見わけがつかなくなる。お願い、どうぞ私にもそのお悩みのわけを聞かせてくださいまし。

ブルータス　体の具合が悪い、それだけのことだ。

ポーシャ　ブルータスはよく物事のわかるお方、もしお体の具合が悪いのなら、それをよくする手だてをお講じになるはず。

ブルータス　もちろん、そうする。ポーシャ、さあ、お休み。

ポーシャ　お加減が悪い？　で、それがお体によろしいとおっしゃるのかしら、胸をはだけて歩き廻り、湿っぽい朝の空気をお吸いになることが？　お加減が悪いのですって？　何をおっしゃるやら、そうして病いには何よりのお床を脱けだし、体を蝕《むしば》む夜気を浴び、風邪《かぜ》でもおひきになって、そのうえ病気を重らせようとでも？　まさか、そんなことを、ブルータス、病いといえば、それはお心のうちに何かあるはず、それなら、妻の私、当然、知っておかねばならぬこと。(膝《ひざ》まずき) こうして、膝をついてお願いいたします、昔はきれいだと言ってくださったこの顔にかけて、あれほど愛すると何度もおっしゃってくださった、それがやがて私たちを一つに結び合わせてくれたあの神聖な誓いにかけて、どうぞお打明けくださいまし、私なら、御自分と同じこと、いわばあなたの半身でございましょう、なぜそう鬱《ふさ》いでいらっしゃるのか——そして、さきほど見えた方とはどんな御用がおありだったのか。たしか六、七人、みんな顔を隠しておいででした、この夜の暗いのに。

ブルータス　立っておくれ、ポーシャ。

ポーシャ　そうもいたしましょう、いつものやさしいあなたでしたなら。結婚のとき、そんな御約束があったかしら、ブルータス、おっしゃって、あなたに関《かかわ》る秘密はあなただけで、私の知ったことではないなどという？　この私はわが身同様、そうおっしゃってはくださっても、いわば条件づきらしい、ただお食事を一緒にいただき、閨《ねや》のお伽《とぎ》をし、ときにはお話相手になるという、それだけのことなのかしら？　なんのことはない、私という女は、あなたのお情のほんの外側に住んでいればいいとおっしゃるの？　もしそれだけなら、ポーシャはブルータスを相手に春をひさぐ女というだけのこと、妻とはいえませぬ。

ブルータス　まことの立派な妻だ、このおれにとっては、かたときも無くてかなわぬもの、この悲しみに打ちひしがれた心臓を見舞うてくれる赤い血潮にも劣らぬ。

ポーシャ　もしもお言葉どおりなら、その秘めごと、お打明けくださいましてもよろしいはず。なるほど私は女、でも、ブルータスほどのお人の妻に選ばれた女でございます。いかにも女ではございましょう、でも、人も知るケイトーの娘でございます。それを、あなたは世のつねの女なみにかよわきものとお思いに？　かほどの父、かほどの夫をもった私ですのに？　どうぞお打明けになってくださいまし、決して人には申しませぬ。日ごろの心変らぬ誠の証《あか》しはっきりお見せしたはず、覚えておいでございましょう、手ずからこの腿《もも》に傷を負わせて御覧にいれたことを。その痛みに耐えた私が夫の秘密に耐えられぬと、まさかお思いでは？

ブルータス　この立派な妻に恥じぬ男でありたいものだ！　（外で戸を叩《たた》く音）おい、あの音を！　誰か戸を叩く。ポーシャ、しばらく向うへ。いずれ、あとで聴《き》いてもらうつもりだ、おれの心の秘密は。仲間と誓ったことも、すっかり話して聴かせよう、この暗い額に刻まれた文字の意味を。さ、すぐ、あちらへ。（ポーシャ退場）ルーシアス、誰だ、戸を叩くのは？

ルーシアス、そのあとに、布で頭をくるんだリゲーリアス。

ルーシアス　どなたか、御病気のようでございますが、お目どおり願いたいとおっしゃいまして。

ブルータス　ケイアス・リゲーリアスだな、メテラスの話していた。向うへ行け。ケイアス・リゲーリアス！　一体、どうしたのだ？

リゲーリアス　まあ、朝の挨拶を受けてくれ、そう言う言葉に力もはいらぬが。

ブルータス　時もあろうに、ケイアス、そんな姿で！　病気とは残念だぞ！

リゲーリアス　病気ではない、もしもブルータスの胸中に大義と呼ばれるに値するもくろみがあるならばな。

ブルータス　それがあるのだ、この胸のうちに、リゲーリアス、ただ、きみに、それを聴いてもらえる健康な耳があればと思っているのだが。

リゲーリアス　おお、ローマ人の額《ぬか》ずくすべての神々に誓おう、もう病気とはおさらばだ！（頭の布をかなぐりすてる）ローマの魂！　栄《は》えある血筋をひいた猛《たけ》き男の子！　魔法の杖《つえ》でも振ったのか、このおれの死に果てた心を呼びさましてくれたぞ。さあ、かかれと言ってくれ、どんな難関にでも恐れず立ち向って見せよう、いや、みごと事態を好転させてお目にかける。何をしようと言うのだ？

ブルータス　言ってみれば病人を健康にかえす仕事だ。

リゲーリアス　それもいいが、健康なやつで、病気にしてやらねばならぬのもいるのではないか？

ブルータス　もちろん、それも必要だ。そのことだが、ケイアス、道々詳しく話すつもりだ、その目ざす当人の家へ行く途中にな。

リゲーリアス さあ、その足を踏みだしてくれ、おれの心は火を吹きはじめた、勇んでついて行くぞ、目的などおれの知ったことか、もう何も言うことはないのだ、ブルータスの先達とさえ聞けばな。

ブルータス さあ、それなら来てくれ。（一同庭を去る）

〔第二幕 第二場〕

5

シーザー邸

雷鳴、稲妻。

シーザーが部屋着にて出て来る。

シーザー 天も地も夜どおしざわめきつづけだった。キャルパーニアは、夜中に三たびうなされて、大きな声をあげた、「助けて、誰か！ シーザーが殺される！」とな。（奥に向って呼ぶ）そこに誰かいるか？

召使が登場。

召使 お呼びでございますか？

シーザー　司祭どもに生贄《いけにえ》を捧《ささ》げるように言え。占いの結果も訊《き》いてきてくれ。

召使　畏《かしこま》りました。(退場)

キャルパーニアが登場。

キャルパーニア　どうなさったのです、シーザー、お出かけになるおつもりですか？　今日は一歩も外にお出になってはなりませぬ。

シーザー　シーザーは出かけるのだ。今までおれを脅《おびやか》すものもあったが、ただおれの背中を見ただけだ。シーザーの顔をまともに眺《なが》めてみろ、たちまち消えてなくなるだろう。

キャルパーニア　シーザー、私、今まで前兆など気にしたことはありませぬ。それが、今日だけはなんだか恐しゅうて。家のものの話ですけれど、それでなくてさえ、いやなことをいろいろ見たり聞いたりしておりますのに。なんでも夜番が身の気もよだつ不気味なものを見たとか。牝獅子《めじし》が町の中で仔《こ》を産んだなどと申します。墓は腭《あぎと》を開いて、死者を吐きだし、雲のうえでは、兵士たちが焔《ほのお》に包まれ、群をなし隊を組み、この世の戦場さながら、たがいに斬《き》り結ぶすさまじさ、流れる血潮が議事堂の屋根を雨と濡《ぬ》らしたとか、その阿鼻叫喚が空中にこだまし、馬はいななき、瀕死《ひんし》の兵士が苦しげに呻《うめ》くかと思うと、亡霊どもが口ごに泣きわめき、あたりを駆けめぐっていたそうでございます。ああ、シーザー！　どうしても唯事《ただごと》とは思えませぬ。本当に恐しゅうございます。

シーザー　人の力で避けうると思うのか、全能の神〻が定めたもうたことを？　何が起ろうとも、シーザーは出かけるのだ。よいではないか、それらの前兆はこの世のすべてに向けられたもの、なにもシーザー一人のためではあるまい。

キャルパーニア　非人が死ぬまえに、彗星《すいせい》が現れなどいたしませぬ。天は王侯の死を知らせようとして焔を吐くのです。

シーザー　臆病者《おくびようもの》は現実の死を迎えるまでに何度でも死ぬものだ。勇者にとって、死の経験はただ一度しかない。世の不思議はいろいろ聞いてきたおれだが、何が解らぬといって、人が死を恐れる気もちくらい解らぬものはない。死は、いわば必然の終結、来るときにはかならず来る、それを知らぬわけでもあるまいに。

召使がもどって来る。

シーザー　占師どもはなんと言っている？

召使　今日はお出ましにならぬようにと申しておりました。生贄の腹を裂きましたところ、その獣に心臓が無かったとのことでございます。

シーザー　神〻は臆病者を辱《はずかし》めんとしておいでなのだ。このシーザーも、それこそ、心臓の無い畜生になりかねぬ、もし恐れてこのまま家に閉じこもっていようものならな。いや、シーザーはそんなことはせぬ。危険はよく知っているはずだ、危険ということになれば、このシーザーの方が自分よりははるかに手ごわいことをな。危険とおれとは同じ日に生み落された二頭の獅子、おれの方が兄分だ、そしてずっと恐しい。シーザーは出かけるのだ。

キャルパーニア　なんということを、あなたは御自分を信じるあまり分別を無くしておしまいになった。今日はお出かけにならないでくださいまし。私が恐れるからだと、そうおっしゃればよろしい。あなたを家に引きとめるものは、あなた御自身の恐怖ではないと。代りにマーク・アントニーを元老院へやりましょう。そして、今日は御気分が悪いと言わせればいい。さあ、こうして膝《ひざ》をついてお願いします。私の言うことを聴いてくださいまし。（膝まずく）

シーザー　マーク・アントニーに気分が悪いと言わせよう、お前の気休めのためだ、おれは出かけないことにする。

ディーシアスが登場。

シーザー　ディーシアスだな、あれにそう伝えさせよう。

ディーシアス　シーザー、お元気で何よりです！　お早うございます。お迎えにあがりました、どうぞ元老院へ。

シーザー　いや、よいところへ来てくれた。元老たちにおれの挨拶を伝えてもらいたい、今日は行かぬとな。行けぬ、のではない、行く気になれぬ、と言ってはなお違う。ただ今日は行かぬと、そう伝えてくれ、ディーシアス。

キャルパーニア　御気分がよくないからと言って。

シーザー　シーザーに嘘《うそ》をつけと言うのか？　この手の伸びうるかぎり、四隣を征服したこのおれが、あの白髪の老いぼれどもがこわくて、本当のことが言えぬと言うのか？　ディーシアス、あの連中に言ってくれ、シーザーは行かぬと。

ディーシアス　シーザー、それにしても訳を何か。そうお伝えするだけでは、みなに笑われるのが落ちでございましょう。

シーザー　理由はおれの意思にある。おれは行かぬ、それだけで元老院は納得するはずだ。だが、お前には納得のゆくように、いや、おれはお前の人物に惚《ほ》れているのだ、とにかくお前にだけは言っておこう。このキャルパーニアが家にいろと止めるのだ。ゆうべ、おれの塑像を夢に見、それが百も水口のある噴水のように真赤な血を吹きだすと見るや、そこへ笑いを浮べた逞《たくま》しいローマ人が大勢やってきて、その中に手を浸したというのだ。これは、それを何かの前知らせと受けとり、禍が起ると言ってきかぬ。膝までついて、今日は家を出ぬようにと歎願する始末だ。

ディーシアス　その御解釈はまったく見当違いのように思われます。むしろ縁起のよい、仕合わせな夢と言うべきでございましょう。お体の諸処より血を吹き、それに多くの市民たちが笑いながら手を浸したと仰せでしたが、それはつまり、この大ローマがお体から甦《よみがえ》りの血を吸いとろうとしているわけで、その貴族たちが押しあいへしあい、聖なる血潮の痕《あと》を記念の品に求める光栄を暗示しているのでございます。キャルパーニア様のお夢の意味は、まさにそういうことと思われます。

シーザー　うむ、そいつは、なかなか気のきいた絵解きをしたものだな。

ディーシアス　そうお思いでございましょう、いえ、私の話をもっとお聴きになれば、なおのこと。早速、申しあげましょう。元老院の決議によりますと、今日はシーザーに王冠を捧《ささ》げる手はずになっているとか。もしおいでにならぬなどと聞けば、あるいは連中も考えを変えるかもしれませぬ。そのうえ、席上なんとなく嘲《あざけ》りの空気が流れ、なかには「解散にしたほうがよい、またシーザーの奥方がよい夢を見るまで待つことにしよう」などと言いだすものがないとは限りますまい。このままお引籠《ひきこも》りですと、それからそれへと「見ろ、シーザーは恐れている」などと陰口をきくものも出てくるとはお思いになりませぬか？　差出がましいことをとは存じますが、これもひとえに御栄光を深く念じておればこそ、あえて申上げました。情にかまけて、つい弁《わきま》えを忘れてしまったのでございます。

シーザー　どうだな、こうして見ると、さっきからの取越し苦労がいかにもたわいないことのように見えてきはしないか、キャルパーニア！　おれとしたことが、それに従う気になったとは、われながら恥しいぞ。着るものを持って来てくれ、出かけるのだ。

そこへパブリアス、ブルータス、リゲーリアス、メテラス、キャスカ、トレボーニアス、シナが登場。

シーザー　それ、見ろ、パブリアスが迎えに来たぞ。

パブリアス お早うございます、シーザー。

シーザー よく来てくれた、パブリアス。なんだ、ブルータス、きみまでこんなに早くから起きだして来たのか？ お早う、キャスカ。ケイアス・リゲーリアス、シーザーはきみを敵あつかいした覚えはない、むしろ、きみをそんなに痩《や》せさせた病いの方がよほど手ごわいぞ。ところで、もう何時だな？

ブルータス 八時を打ったところです。

シーザー わざわざ御足労いただいて申しわけなかった。

そこへアントニーが登場。

シーザー おい、あれを！ アントニーだ、夜どおし飲んでも倦《あ》きぬ酒豪だというのに、もう起きて来たな。お早う、アントニー。

アントニー 同じ御挨拶を。

シーザー （キャルパーニアに）奥の者に何か用意するように言いつけてくれ。（キャルパーニア退場）待たせてすまぬ。やあ、シナ。メテラスもか。なんだ、トレボーニアスも！ きみには少し話がある。忘れずにあとで訪ねて来てくれ。なるべくそばにいてもらいたい、きみを忘れぬように。

トレボーニアス 承知しました。（傍白）いくらでもそばにいてやるぞ、貴様の仲間たちがもっと離れていてくれたらと思うほどにな。

シーザー　さあ、仲間たち、奥へ行って、一緒に杯をあげてもらおう。それから、仲間は仲間らしく、大挙して繰り出そうではないか。

ブルータス　（傍白）その「らしく」にも、いろいろある、シーザー、それを思うと、このブルータスの心は重くなるのだ！　（一同退場）

〔第二幕　第三場〕

〔II-3〕6

6

議事堂ちかくの町なか、ブルータスの邸の前

修辞学の教師アルテミドーラスが紙片を読みながら出て来る。

アルテミドーラス　「シーザーよ、ブルータスに気をつけよ。キャシアスに用心すべし。キャスカを近づくるなかれ。シナに心せよ。トレボーニアスを信ずるべからず。メテラス・シンバを警戒せよ。ディーシアス・ブルータスは真の身方にあらず。かつ、御身はケイアス・リゲーリアスを不当に扱いたり。彼等はいずれも心は一にして、ただシーザーへの反逆あるのみ。御身もまた不死身にあらざるかぎり、身辺に意を用いるにしくはなし。油断は策謀に好機を与えむ。全能の神神の御加護を祈るのみ！　御身の身方、アルテミドーラスより」。この辺で待っていよう、シーザーが来たら、直訴《じきそ》のようにしてこれを渡せばいい。情ない話だ、徳もまた嫉妬《しっと》の牙《きば》をのがれら

れぬとみえる。これを読みさえすれば、ああ、シーザー、それだけで生きのびられよう。が、もし読まぬとなれば、それを境に、運命の神は謀反人《むほんにん》に組することになるのだ。（物陰に退いて待つ）

〔第二幕　第四場〕

7

前場と同じ

ポーシャとルーシアスが家から出て来る。

ポーシャ　さ、頼みます、早く議事堂へ。返事などどうでもいいから、すぐに行って。何をぐずぐずしておいでなの？

ルーシアス　行く前に、御用の趣きを承ろうとぞんじまして、はい。

ポーシャ　行って、もう帰って来てくれたらと思うくらい。ゆっくり用向きのことなど、とても話してはおられませぬ。ああ、何ものにも心動かぬ強さがほしい、それがあたしを支《ささ》えてくれたら！　それが大きな山のように、あたしの心臓と舌との間を堰《せ》きとめてくれたら！　心は男でも、力は女。こうも辛いものか、女の身で秘密を守りとおすというのは！　お前、まだそこに？

ルーシアス　奥様、一体、どういう御用で？　議事堂まで一走り、それだけでございますか？　着いたらすぐこちらへ引返して来る、それだけでございますか？

ポーシャ　ええ、知らせてもらいたいの、旦那《だんな》様《さま》のお加減がどうか。お出かけのとき、お悪いようだったもの。それから、よく注意して、シーザーの様子を見ていておくれ、どんな人たちが訴訟を持ちかけてくるかも。お聴き、あれは！　なんの音だろう？
ルーシアス　何も聞えませぬが、奥様。
ポーシャ　だめ、よく耳を澄ませて。確かに聞えた、すさまじいざわめきが、まるで揉《も》みあうような、それが風にのって、議事堂の方から。
ルーシアス　本当に、奥様、私には何も聞えはいたしませぬが。

占師が登場。

ポーシャ　ここへおいで。今まで、どこにおいでだったの？
占師　自分の家におりましてございますが、はい。
ポーシャ　今、何時頃だろう？
占師　およそ九時頃かとぞんじます、はい。
ポーシャ　シーザーはもう議事堂へ行きましたか？
占師　いいえ、奥様、まだで。じつは場所をとりにまいります、議事堂へ行くところを見たいとぞんじまして。
ポーシャ　何かシーザーに願いごとがおありなのだろう、違いますか？

占師 そのとおりでございます、はい。私の申しあげることにお耳を貸してさえくだされば、お身をおいといなさるようお願いいたそうとぞんじまして。

ポーシャ え、では、何かあの方のお身の上に危害を加えようという企てでも？

占師 それとはっきり言えるものとて別にありませぬが、あるいはと気づかわれるものなら、いくらでもございます。御機嫌よう、奥様。ここは通りが狭すぎますな。大変な人だかりだ、シーザーのあとを追うて、やれ、元老の、やれ、代官の、やれ、訴訟人のと、次から次へと引きも切らず、これでは弱い者は押しつぶされてしまいかねない。どこか空いた所をさがして、シーザーの姿を見かけたら、そこから呼びかけることにしよう。（通りすぎる）

ポーシャ もう家にはいらなければ……情ない、意気地がなさすぎる、どうしてこうなのだろう、女の心は！ ああ、ブルータス、運よく本望をお遂げになるように！ きっと、あれが今の言葉を。（ルーシアスに）ブルータスは今日、お願いごとをなさるはず、でも、シーザーはお聞きいれになりはしますまい。ああ、目まいが。さ、ルーシアス、早く旦那様のところへ、よろしく言っておくれ、私は元気だと。そしたら、すぐ帰って来るのだよ、きっと旦那様のおことづけを伺って。（ルーシアス退場。ポーシャは家のなかへ）

〔第三幕 第一場〕

8

元老院の前

諸処の開いた戸口を通じて、奥にて会議中の元老たちが見える。そのテーブルの首位に黄金の椅子があり、そこだけ空席になっている。会議室の外部、すなわち舞台前面には、一つの戸口の傍にポンペイの像が据えられてある。

市民の群がシーザーの到着を待っている。そのなかには、アルテミドーラスや占師の姿も見える。トランペットの吹奏とともにシーザーが現れる、続いてブルータス、キャシアス、キャスカ、ディーシアス、メテラス、トレボーニアス、シナ、それにアントニー、レピダス、ポピリアス、パブリアス、その他が登場。

シーザー （占師を見かけて）三月十五日が来たな。

占師 はい。でも、まだ終りはいたしませぬ。

アルテミドーラス シーザー！ この書面にお目とおしを。

ディーシアス トレボーニアスからのお願いにございます、ぜひとも御一読いただくようにと、この請願書を。

アルテミドーラス いえ、私の方をさきにお取りあげくださいますよう、直接、お身の上に関《かかわ》りますこと、すぐにもお目とおしを。

シーザー おのれに関ることとあれば、あとまわしにしよう。

アルテミドーラス 一刻の猶予もなりませぬ、ただちにお目とおしいただきとうぞんじます。

シーザー　何を言う、この男は気違いか？

パブリアス　（アルテミドーラスを押しのけ）こいつ、退《さが》れ。

キャシアス　何事だ、道筋で願いごとをしようと言うのか？　あとで議事堂へ来い。

シーザーは元老院に入る。他もそれに続く。
シーザーの着席と同時に、元老たち起立する。

ポピリアス　今日の首尾を祈りますぞ。

キャシアス　首尾とは、ポピリアス？

ポピリアス　御無事で。（シーザーのところへ進み、話しあう）

ブルータス　なんと言ったのだ、ポピリアス・リーナの奴？

キャシアス　今日の首尾を祈ると。謀《はか》りごとが洩《も》れたのかもしれぬ。

ブルータス　おい、あれを、シーザーの方へ。奴から目を離すな。

キャシアス　キャスカ、すぐやってしまえ、邪魔がはいったらしいぞ。ブルータス、どうしたらいいのだ？　事が顕《あらわ》れたとなれば、このキャシアスかシーザーか、どちらかがここを無事には出られぬのだ、そうさ、おれはこの手でおれを刺し殺してやる。

ブルータス　キャシアス、落ちつけ。ポピリアス・リーナはおれたちのことを話しているのではない。それ、見ろ、笑っている。シーザーの様子にも変ったところはない。

キャシアス　トレボーニアスも潮時を心得ているらしい。見ろ、ブルータス、どうやらうまくマーク・アントニーを引き離そうとしている。（アントニーとトレボーニアスとは連れだって談笑しながら、シーザーの傍を離れる）

ディーシアス　メテラス・シンバはどこにいる？　早くしなければだめだ、すぐシーザーに請願書を突きつけなければ。

ブルータス　メテラスは待機している。もっと側に行って、衛《まも》ってやれ。

シナ　キャスカ、いいか、一番槍《やり》だぞ。

シーザー　（会議を始めようとして）みんな、いいな？

暗殺者たちはシーザーに近づき、その椅子を取巻く。キャスカだけ少しわきに離れている。

シーザー　焦眉《しょうび》の急は何だ、シーザー、並びに元老院がただちに手をつけねばならぬことは？

メテラス　（膝《ひざ》まずき）至上全能のシーザーにお願いがございます。メテラス・シンバ、心より謹んで御前に――

シーザー　さきは聞きたくないぞ、シンバ。そうして膝を屈し、辞を低うして訴える、あるいはそれで凡夫の自尊心は火と燃えあがり、昔よりの掟《おきて》も児戯に類するたわいなきものと化しさるかもしれぬ。愚かな望みをいだくな、シンバ、このシーザーがそんなむら気に弄《もてあそ》ばれ、性根を失うことがあろうはずもない。愚人ならば、そんなことで、結構、やにさがりもしようが。つまり、甘言を用い、腰をかがめ、犬のように卑屈に甘える手もあろう。お前の兄弟は国法によって追放されているのだぞ。たとえお前が頭をさげ、泣きごとを並べ、阿諛追従《あゆついしょう》をしてみたところで、こちらとしては、ただ野良犬《のらいぬ》同様、蹴《け》ちらすほかに手はない。いいか、シーザーは不当に人を遇しはしない、同時に、謂《い》われなくして人の言葉に耳は貸さぬ。

メテラス　誰かおれのために弁じてくれる有徳の士はいないのか、誰か、おれの及ばぬ快き言葉をシーザーの耳に注ぎこみ、追放の兄を呼びもどしてくれるものは？

ブルータス　御手に口づけを、いや、阿諛ではありませぬ、シーザー。ただ願わくは、パブリアス・シンバをすぐにも呼びもどし、自由の身にされんことを。

シーザー　何を言う、ブルータス！

キャシアス　（ひどく恭《うやうや》しく）御赦免を、シーザー、御赦免を。このとおり膝下《しっか》に身を伏し、キャシアスからもお願い申しあげます、パブリアス・シンバの釈放をお許しくださるよう。

シーザー　なるほど心うごかされもしよう、お前たちのような男ならな。みずから人に哀願し、その心を動そうと計る男なら、また人の哀願によって心を動されもしよう。が、おれは北極星のごとく動かない、その確乎《かっこ》不動なること、満天の群星中、他に比類なきあの星のようにな。大空は無数の閃光《せんこう》にちりばめられている。そのどれもこれも火の塊だ。一つ一つが明るく輝いている。そのなかにあって、おのれの場を守って動かぬものはただ一つしかない。この地上においても同じことであろう。そこでは人間の数にことかかぬ。誰しも血肉をそなえ、理性をもっている。しかも、その数多きもののうち、おれはただ一人しか知らない、何人も手を触れえず、その高き地位を守って動じぬ存在は。おれがそれだ。その証《あか》しを見せてやろう、いいか、おれはかつてシンバの追放を主張して動かなかった、そして今もあの男をそのままにしておくことを主張して動かぬのだ。

シナ　ああ、シーザー――

シーザー　退れ！　オリムパスの山を動そうと言うのか？

ディーシアス　偉大なるシーザー――

シーザー　ブルータスが膝まずいてもむだだったではないか？

キャスカ　この手に聞け！（シーザーの背後から刺す）

シーザーは椅子から立ちあがり、逃げようとする。暗殺者たちはそれをポンペイ像の前まで追いつめ、めったぎりにする。シーザーは手負いのまま、しばらく立ちつくしているが、ブルータスが襲いかかるのを見て、顔を蔽《おお》う。

シーザー　お前もか、ブルータス？　それなら、死ね、シーザー！（死ぬ）

シナ　自由だ！　解放だ！　暴政は滅んだぞ！　行け、知らせてやれ、街々を大声で触れて歩け。

キャシアス　何人か手分けして広場の演壇に立て、そして声をかぎりに叫ぶのだ、「自由、解放、万歳！」と。

ブルータス 市民諸君、元老のお歴々、恐れることはない、逃げなくともよい。静かにしていただきたい。野望はついにその負いめを支払ったのだ。

キャスカ さあ、行って、演壇に立ってくれ、ブルータス。

ディーシアス キャシアスも一緒に行ってもらおう。

ブルータス パブリアスはどこにいる？

シナ ここにいる、今の騒動で茫然《ぼうぜん》自失のていだ。

メテラス みんなしっかり手を握りあうのだ、あるいはシーザー一味のものが――

ブルータス 何を言う、そんな必要はない。パブリアス、元気をだせ。その身になんの危害を加えようはずもない。いや、ローマの市民である以上、何人もそんな心配は不要だ。パブリアス、そうみんなに伝えていただきたい。

キャシアス さあ、行ってくれ、パブリアス、民衆が押し寄せて来て、その老体にもしものことでもあるといけない。

ブルータス そうしてもらおう。他の誰にもこの事件の責めを負わせるな、手をくだしたわれわれだけでたくさんだ。

トレボーニアスが一人でもどってくる。

キャシアス アントニーはどこにいる？

トレボーニアス 驚いて、おのが館に逃げ帰ってしまった。男も女も子供も、眼を血走らせ、大声にわめきながら、右往左往している、まるで最後の審判の日でも来たような騒ぎだ。

ブルータス 運命の女神の御意が得たいものだ。おれたちもいずれは死ぬと言うか、知れたこと、死も要は時の問題だ、煩《わずら》いに満ちたその日その日をどこまで延ばせるか、それだけのことにすぎぬ。

キャスカ 決っている、そいつの生涯を二十年ちぢめてやれば、死を待つ恐怖の歳月をやはりそれだけ縮めてやったことになる。

ブルータス そういうことになれば、死もまた恩恵だ。その筆法でゆけば、おれたちこそはシーザーの親友、死を恐れる時間を短くしてやったのだからな。さあ、かがめ、ローマ人たち、膝まずけ。そうして手をシーザーの血に浸すのだ、肘《ひじ》までたっぷりと、刃にも血のりをつけろ。それから広場へ出かけよう。紅に染った剣を頭上にふりかざし、声を合わせて叫ぶのだ、「平和、解放、自由！」と。

キャシアス みんな膝まずいて手を浸せ。（一同、そのとおりにする）今よりのち、いつの世にも、われらの手になるこの崇高な場面は、しばしば繰りかえし演じられることだろう、いまだ生れざる国々において、いまだ語られぬ言葉によって！

ブルータス いくたびもシーザーは舞台を血に染めるだろう、今、こうしてポンペイの足もとに塵《ちり》にも劣る身を横たえている男が！

キャシアス　そうなろう、そしてそのたびごとに、われらの仲間は、祖国に自由を与えた志士と呼ばれるのだ。

ディーシアス　では、行くか？

キャシアス　うむ、みんなで行こう。ブルータスに先に立ってもらう、われわれはそのあとにつくのだ、ローマにおいてもっとも勇敢な、そしてもっとも高潔な精神として。

アントニーの召使が登場、ブルータスの前に膝まずく。

ブルータス　待て！　誰だ、あれは？　アントニーの家のものだな。

召使　このとおり、ブルータス様、御前に膝まずくようにと主人から厳しく言われましてございます。このように腰を低うしてと、そう主人より厳しく言われましたので。十分に礼を尽したうえで、かようにお願い申せと言いつかりましてございます。ブルータスは高潔にして賢明、勇あって誠実、一方、シーザーは偉大、豪放、鷹揚《おうよう》にして柔和の風がある。自分はブルータスを愛し、ブルータスを敬う、そう申しあげるようにとのことでございました、また、自分はシーザーを恐れ、敬い、愛していた、そう申しあげるようにと。もしブルータスが寛大にもアントニーの身の安全を計り、会見の機を与え、シーザーの横死のやむをえざる次第を聞かせてくだされば、もはやマーク・アントニーとして亡きシーザーを生けるブルータス以上に愛惜するいわれなく、このうえは、尊敬すべきブルータスと運命を共にし、この新事態の難局を乗切るため一意誠心はげみたい。このように主人のアントニーは申しているのでございます。

ブルータス　お前の主人は賢明、勇敢なローマ人だ。いつもそう思っていた。よろしくことづけてくれ、すぐにもおいで願いたい、きっと納得していただけようとな。それに、おれの名誉にかけて保証する、一指も触れずにお帰しすると。

召使　では、すぐに呼んでまいります。（退場）

ブルータス　あの男は身方にしておいたほうがよいのだ。

キャシアス　そうあってもらいたい。が、おれには一抹《いちまつ》の不安がある、あの男にはどうしても心が許せぬのだ。しかも、おれの疑いはいつも過《あやま》たず的中する。

アントニーが登場、戸口のところで、さきの召使とうなずきあう。

ブルータス　待て、アントニーだ。よく来てくれたな、マーク・アントニー。

アントニーはそれを無視して、まっすぐシーザーの死骸《しがい》のところへ行き、その前に膝まずく。

アントニー　おお、偉大なるシーザー！　かくもみじめな姿に？　もろもろの領土と栄冠、数々の勝ちいくさや分捕品、今それらすべてが、この小さな殻のなかに納ってしまったと言われるのか？　御冥福《ごめいふく》を祈ります。（立ちあがり）おれは知らぬ、きみらが何を考えているのか、ほかにもまだ血を流さねばならぬものがいるのか、とすれば、誰の血がほしいのか。ほかでもない、おれの血が所望《しよもう》だと言うなら、たった今、シーザー最期の時をのがして他に適当な時期はないはずだ。また用いるにしても、その刃ほどふさわしい武器は容易に見つかるものでもあるまい、この世のもっとも尊い血潮につかったきみらの剣ほどに。こちらからお願いする、もしおれというものが気に食わぬなら、今すぐ、その朱に染った手から生臭いにおいの消えぬうちに、どうにでも好きなようにしてくれ。おれにしても、こののち千年生きようと、今ほど喜んで死ぬ気になれる時は来まい。これほど望ましい死に場所はない、また死に方もない、シーザーの傍に、しかもきみらの手にかかって殺されるのだからな、この世の華《はな》、時代の鑑《かがみ》ともいうべききみらにだ。

ブルータス　まあ、待て、アントニー、きみの死をおれたちに要求する法はない。なるほどわれわれは血を好む兇悪無慙《きようあくむざん》の徒に見えるかもしれぬ。が、それはこの手によって、そしてこの眼前の行為によって、事を判断しようとするからだ。きみはわれわれの手しか見ない、その手のやった血まみれ仕事しか見ない。われわれの心を見てくれないのだ。その心は思いやりで一杯なのに。非道に苦しむローマのいたましい姿を思いやる気もちが――あたかも火が火を打消し、思いやりが思いやりを押しのけるように――われわれにシーザーを忘れさせ、この挙に出《い》でしめたのだ。相手がきみとなれば、きみにたいしては、このおれたちの剣は鉛の切尖《きつさき》でしかない、解《わか》ってくれ、マーク・アントニー。シーザーの暴政を激しく憎んだおれたちの腕が、そして何よりも、あらゆるローマ人を兄弟のごとく愛するおれたちの胸が、きみを迎え容《い》れようとしているのだ、このうえない温い友情をもって、好意と尊敬の念をもって。

キャシアス　きみの言葉は誰よりも尊重するつもりだ、それぞれ改めて地位を決める場合にな。

ブルータス　ただしばらく待っていてもらいたい、われわれはこれから、不安のために混乱している群衆を鎮《しず》めに行かなければならないのだ。そのあとで一部始終を聴《き》いてもらおう、なぜこのおれが、シーザーを斃《たお》す瞬間にもなおシーザーを愛していたおれまで、あえてこの挙に出でざるをえなかったか、そのわけを。

アントニー　きみらの深慮を疑う気は毛頭ない。さあ、みんな、その血に濡れた手をくれ。まず最初にマーカス・ブルータス、きみと手を握ろう。つぎはケイアス・キャシアス、きみの手をいただこう。さあ、ディーシアス・ブルータス、きみの手も。今度はきみだ、メテラス。きみも、シナ。それから、勇敢なるキャスカ、きみの手も。最後に、だが、劣らぬ友情をもって、きみの手を、トレボーニアス。ところで、みなに……いや、どう言ったらいいのか？　おれにたいする信用の足場はひどく居心地の悪いものだ、きみらのおれを見る目は二つに一つ、それがいずれも悪名、つまり腰抜けか阿諛追従の徒か、そのどちらかに違いない。私はあなたを愛していた、シーザー、それに偽りはない。それだけに、あなたの霊魂が、今もしわれわれを眺めておられるなら、この事態をおのれの死にもまして痛切な悲しみと受けとられぬでもあるまい？　それ、こうしてあなたのアントニーは、手もなく敵と和を講じようとしているのだ、あなたの敵の、血にまみれた指を握ってまで、ああ、世にも高潔なるものよ！　しかも、そのあなたの屍《しかばね》の前で。もしこのアントニーに、その無慙《むざん》な傷口ほどにも多くの目があるならば、その血の迸《ほとばし》りほどにも激しい涙にむせぶほうが、この私には、はるかにふさわしいふるまいと言えよう、少くとも、あなたの敵と友情を誓いあうよりは。お許しいただきたい、ジュリアス！　ああ、ここにあなたは追いつめられたのだ、雄々しい鹿の王さながらに、ここにあなたは斃れたのだ、そして、今なおここにその猟人たちは立っている、削《そ》ぎとったあなたの皮膚を証しに、あなたの生血に朱と染って。ああ、この大いなる世界、お前はこの鹿の王を迎えいれる森だった。この大鹿こそは、まさにお前の心臓だったのだ。そっくりそのままではないか、貴人の群に追いたてられ射殺された鹿のように、そうしてあなたはじっと横たわっておられる！

キャシアス　マーク・アントニー――

アントニー　許せ、ケイアス・キャシアス。シーザーの敵でさえ、このくらいのことは言おう。それなら、親しいものとして、むしろ冷やかな儀礼と言うべきだ。

キャシアス　べつにシーザーを讃美《さんび》したからといって責める気はない。が、おれたちとどういう取極めをしようと言うのだ？　同じ仲間として名を連ねたいのか、それともおれたちはこのまきみを当てにしないほうがいいのか、どうなのだ？

アントニー　そこだ、だから、おれはきみらの手を取ったのだ。ただ、正直、シーザーの屍を脚もとに眺めて肝腎《かんじん》のことを忘れていた。仲間に決っている、きみらすべての仲間だ、きみらすべてに友情をもっている、ただし、理由だけは明かにしてもらいたい、なぜ、いかなる点において、シーザーを危険人物と見なしたか、それを言ってくれ。

ブルータス　もしそう思わなければ、ただの残虐行為と言うほかはない。われわれの理由は十分、重んじるにたるものなのだ。アントニー、たとえきみがシーザーの子であっても、きっと納得してもらえると思う。

アントニー　それだけだ、おれが知りたいのは。さらに願えれば、この亡骸《なきがら》を広場に運び、演壇において、いわば友だちとして礼を尽す意味で、シーザー追悼の言葉を述べさせてもらいたいのだが。

ブルータス　好きなようにするがいい、マーク・アントニー。

キャシアス　（小声で）ブルータス、ひとこと。きみには自分のしていることの意味が解らぬと見える。アントニーの弔辞を承知してはいけない。解らぬでもあるまい、聴衆が奴の言葉でどれほど心を動かされるか？

ブルータス　（小声で）そう言うな。おれが先に演壇に立つ、そうして、われらの、シーザー暗殺の理由を明示する。アントニーの話についても、はっきり断っておくつもりだ、つまり、それもわれらの許可を得たうえでのことであり、われわれとしてもシーザーの死を、心からの儀礼とそれ相当の祭儀とをもって悼《いた》むことになんの異存もないと。その方がかえって人心を得やすく、決してわれらの不為とはなるまい。

キャシアス　（小声で）おれには解らぬ、どういうことになるか。とにかく賛成はしないぞ。

ブルータス　マーク・アントニー、さあ、シーザーの亡骸を引取るがいい。追悼の言葉を述べるのはよいが、われわれを非難するような言辞は慎んでもらいたい、ただ端的にシーザーの美点を述べるがいい。それもすべてわれわれの承認を得たうえでのことだと言いそえてもらおう。それ以外、この葬儀について、きみの手は借りたくない。もう一つ、きみの話は、おれと同じ演壇で、おれが話し終ったあとで、やってもらいたい。

アントニー それで結構だ、それ以上、おれにはべつになんの要求もない。

ブルータス では、亡骸の始末をすませたら、すぐに来てくれ。（ブルータス以下、暗殺者たちは退場）

アントニー一人残り、ふたたび死骸の側に膝まずく。

アントニー おお、許してくれ、朱に染った一塊の土くれ、あの殺し屋どもの言いなりになっている意気地のないおれを！ お前こそは、かつて時の流れに浮き沈みしたありとあらゆる人間のうち、もっとも高潔だった人物の、いわば廃墟《はいきょ》の姿。この尊い血潮を流した奴らの手に禍《わざわい》あれ！ こうしてお前の傷口を見つめながら、おれははっきり預言しておく。それにしても、まるで唖《おし》ではないか、真紅の脣を開けたまま、このおれに、代って声を発し語ってくれと訴えているかのよう。そうとも、この世の人間どもの五体のうえに、きっと呪《のろ》いが降りかかろう。兄弟、牆《かき》にせめぎ、骨肉、相食《あいは》むすさまじい内乱の嵐《あらし》が、たちまちイタリー全土に吹きすさぶのだ。流血と破壊が日常茶飯のこととなり、どんな恐しいことにも人は驚かぬ。そうして、いつしか、世の母親もおのが乳呑児《ちのみご》が戦いの酷い手に引裂かれるのを眺めながら、平然と笑ってすませるようになろう。思いやりも憐《あわ》れみも、明け暮れ見なれた兇悪無慙のふるまいに、ことごとく息の根をとめられよう。ひとりシーザーの霊魂が、地獄から出てきたばかりの禍の女神エイテに伴われ、復讐《ふくしゅう》の餌食《えじき》を求めてさまよい歩く。そして、王者の声を張りあげ、全土に響けとばかりに、「殲滅《せんめつ》」の命令をくだし、戦いの犬どもをけしかける。そうなれば、この許しがたい所行も、地下の休息を求めて呻《うめ》き苦しむ腐れ肉の山とともに、天までその悪臭を放つのだ。

オクテイヴィアスの召使が登場。

アントニー オクテイヴィアス・シーザーの身内のものだったな?
召使 さようでございます、アントニー様。
アントニー ローマに来られるようシーザーから書面が行ったはずだ。
召使 それを御覧になって、唯今《ただいま》こちらへお急ぎの途中にございますが、アントニー様にじきじきにこう申せと——おお、シーザー!
アントニー 胸も張り裂けよう、向うへ行って、存分に泣け。悲しみというやつ、どうやらうつるものらしいな、見ろ、おれを、お前の目頭ににじむ悲哀の滴《しずく》を見て、おれの目も濡れてきたぞ。御主人はお見えになると言ったな?
召使 今宵《こよい》の宿はローマから七リーグのところと承っております。

アントニー　では、大至急ひきかえして、事態をお知らせしてくれ。このローマは歎きの都、恐怖の巷《ちまた》、オクテイヴィアスを迎えいれるべき安全な広間が、この広いローマに一つもないとな。さあ、すぐ行け、そう伝えるのだぞ。いや、待て。まだ用がある、おれはこの亡骸を広場に運ばねばならぬ。とにかくやってみるのだ、おれの弁舌をもってして、民衆があの兇悪無慙の輩《やから》の酷いやりくちをどう受けとるか、試してやる。その結果を見とどけたうえで、事態の動きをそのままオクテイヴィアスに伝えてもらいたい。さあ、手を貸してくれ。（二人で死骸を運び去る）

〔第三幕　第二場〕

9

広場

演壇がある。

ブルータスとキャシアスが登場。つづいて市民の群

市民一同　わけを聴《き》こう。わけを聴かせてくれ。

ブルータス　それなら、あとについて来い、話をよく聴いてもらおう。キャシアス、きみは向うへ行ってくれ、二手に分れるのだ。おれの話を聴きたいものは、ここに残るがいい。キャシアスについて行きたいものは、一緒に向うへ行ってもらおう。そのうえで、シーザーを斃《たお》した大義名

分を明かにするつもりだ。

第一の市民 おれはブルータスの話が聴きたい。

第二の市民 おれはキャシアスに聴こう。あとで二人の理由を較《くら》べてみたいのだ、それぞれ別々に言い分を聴いておいてな。（キャシアスは市民の一部とともに去る。ブルータスは演壇に上る）

第三の市民 ブルータスが壇に上った、静かにしろ！

ブルータス 頼む、みんな、最後まで聴いてくれ。ローマ市民、わが同胞、愛する友に告げる！私の話を聴いてその理想とするところを汲取《くみと》ってもらいたい、さあ、静かにしてくれ。また、私が何より公明正大を尊ぶ男であることを信じてもらいたい、せめて私の人格にたいする日頃の信頼を想い起してくれ。めいめいの考えに照して私を批判する分にはなんの遠慮も要《い》らぬ。そのよき裁き手たるために、理性の活眼を大いに働かせるがいい。この群のなかに誰かシーザーの親しき友がいるならば、その人に向って私は言う、ブルータスのシーザーを愛する心情は決してその人にひけをとらぬと。それなら、何ゆえブルータスはシーザーを斃したか、そう反問するであろうが、それにたいする私の答えはこうだ、おれはシーザーを愛さぬのではなく、ローマを愛したのである。みなは、シーザー一人生きて、他のことごとくが奴隷として死ぬことを望むのか、シーザーを死なせて、万人を自由人として生すことよりも？ 私を愛してくれたシーザーを想《おも》えば、私は涙を禁じえない。幸福だったシーザーの半生を想うとき、私の心ははずむ。勇敢だったシーザーを想い、私は心から讃嘆を惜しまない。が、野心に身を委《ゆだ》ねたシーザーを見いだしたとき、私はそれを刺したのだ。シーザーの愛には涙を、幸運には喜びを、勇気には尊敬を、そして野心には死あるのみ。誰にせよ、このなかに、みずから奴隷の境涯を求めるがごとき陋劣《ろうれつ》な人間がいるだろうか？　もしいるなら、名のり出てくれ、その人にこそ、私は罪を犯したのだ。誰かいるか、ローマ人たることを欲しないほど不遜《ふそん》な人物が？　もしいるなら、そう言ってくれ、その人にこそ、私は罪を犯したのだ。誰か、おのれの祖国を愛さぬほど卑劣な男がいるか？　いるなら、言ってくれ、その人にこそ、私は罪を犯したのだ。さあ、答えを待とう。

市民一同　そんな奴はいない、ブルータス、一人もいないぞ。

ブルータス　それなら、私は誰にも罪を犯していないのだ。私がシーザーにたいしてなしたことは、今後、誰でもよい、そのままブルータスにたいして施すがいい。シーザーの死に関する一切の経緯は議事堂に記録しておく。もちろん、それはかつての功績を傷つけるものでもなければ、またその死をまぬかれえなかった事情について、いささかでもその罪を誣《し》いるものでもない。

アントニーが服喪の姿にて登場。あとからシーザーの遺骸《いがい》が運び入れられる。棺《ひつぎ》は蓋《ふた》を開けたまま台に載せられている。

ブルータス　それ、シーザーの亡骸《なきがら》が来る、マーク・アントニーが喪主だ。アントニーはこの挙に与《あずか》りはしなかったが、その恩恵を受け、国政担当の椅子を与えられることになろう。いや、みなも同様、一人としてそうでないものがあろうか？　最後に、つぎの一言をもって私の話を終えよう――この私はローマのために最愛の友を殺した、その同じ刃を、もし祖国がそれを必要とするならば、いついかなるときでも、われとわが胸に突きつけるであろう。

市民一同　死ぬな、ブルータス！　生きてくれ、いつまでも！

第一の市民　みんな、喜び勇んでブルータスを家まで送って行くのだ。

第二の市民　ブルータスの像を造れ、その先祖たちのそばに並べるがいい。

第三の市民　おれたちのシーザーになってもらおう。

第四の市民　そうすれば、シーザーの良いところだけが王冠をいただくことになる。

第一の市民　とにかく家まで送って行こう、景気よく歓呼の声をあげてな。

ブルータス　待て、わが同胞たち――

第二の市民　静かに！　黙れ！　ブルータスが話すぞ。

第一の市民　静かに、おい！

ブルータス　聴《き》いてくれ、みんな、私を一人で帰してもらいたい。そして、私のために、ここにアントニーとともにとどまってくれ。シーザーの遺骸に敬意を表するのだ、同時にシーザーの功を讃《たた》えるアントニーの言葉にも敬意を表してもらいたい。もちろん、マーク・アントニーの話はわれわれとしても承認ずみなのだ。私からお願いする、一人もここを動かないでくれ、私だけにして、アントニーの話が終るまで、みんな残ってもらいたい。（去る）

第一の市民　おい、行くな！　マーク・アントニーの話を聴こうではないか。

第三の市民 アントニーを演壇に上らせろ。みんなで聴くのだ。さあ、アントニー、演壇に立ってくれ。

アントニー ブルータスのためとあれば、これも私の義務だ。（演壇に立つ）

第四の市民 なんと言ったのだ、ブルータスのことを？

第三の市民 ブルータスのためとあれば、おれたちに話す義務があると言ったのだ。

第四の市民 そうさ、ここでブルータスの悪口は言わぬほうがいいからな。

第一の市民 シーザーという男は暴君だったのだ。

第三の市民 そうさ、決っている。とにかくよかった、あんな奴がローマからいなくなって。

第二の市民 静かにしろ！ なんでも聴こうではないか、アントニーの言いたいことを。

アントニー さあ、ローマの市民諸君――

市民一同 おい、静かに！ 話を聴こうではないか。

アントニー 友よ、ローマ市民よ、同胞諸君、耳を貸していただきたい。今、私がここにいるのは、シーザーを葬るためであって、讃えるためではない。人の悪事をなすや、その死後まで残り、善事はしばしば骨とともに土中に埋《うず》もれる、シーザーもまたそうあらしめよう……高潔の士ブルータスは諸君の前に言った、シーザーは野心を懐《いだ》いていたと。そうだとすれば、それこそ悲しむべき欠点だったと言うほかはない。そしてまた、悲しむべきことに、シーザーはその酬《むく》いを受けたのだ……ここに私は、ブルータスおよびその他の人との承認を得て、それも、ブルータスが公明正大の士であり、その他の人ことて同様、すべて公明正大の人物なればこそ、今こうしてシーザー追悼の言葉を述べさせてもらえるわけだが……シーザーはわが友であり、私にはつねに誠実、かつ公正であった。が、ブルータスは言う、シーザーは野心を懐いていたと。そして、ブルータスは公明正大の士である……生前、シーザーは多くの捕虜をローマに連れ帰ったことがある、しかもその身代金《みのしろきん》はことごとく国庫に収めた。かかるシーザーの態度に野心らしきものが少しでも窺《うかが》われようか？　貧しきものが飢えに泣くのを見て、シーザーもまた涙した。野心はもっと冷酷なもので出来ているはずだ。が、ブルータスは言う、シーザーは野心を懐いていたと。そして、ブルータスは公明正大の士である。みなも見て知っていよう、過ぐるルペルカリア祭の日のことだ、私は三たびシーザーに王冠を捧《ささ》げた、が、それをシーザーは三たび卻《しりぞ》けた。果して、これが野心か？　が、ブルータスは言う、シーザーは野心を懐いていたと。そして、もとより、ブルータスは公明正大の士である。私はなにもブルータスの言葉を否定せんがために言うのではない、ただおのれの知れるところを述べんがために、今ここにいるのだ。みなもかつてはシーザーを愛していた、もちろん、それだけの理由があってのことだ。とすれば、現在いかなる理由によって、シーザーを悼《いた》む心をおさえようとするのか？　ああ、今や分別も野獣のもとに走り、人こは理性を失ってしまったのか！……みな、許してくれ、私の心はあの柩《ひつぎ》のなか、シーザーと共にあるのだ、それが戻ってくるまでは先が続けられぬ。（泣く）

第一の市民　どうやらアントニーの言うことにも一理ありそうだな。

第二の市民　事の次第をまっすぐに考えてみるとなると、シーザーは途方もない濡衣《ぬれぎぬ》を着せられたことになる。

第三の市民　そうなるかな、みんな？　とすると、その跡にもっと悪い奴が出てくるかもしれないぞ。

第四の市民　アントニーの言ったことを聴いたか？　シーザーは王冠に手を触れようとしなかったと。それなら、文句はない、野心など無かったということになる。

第一の市民　もしそうだとすれば、こいつは誰かがそれだけの贖《あがな》いをしなければなるまいぜ。

第二の市民　かわいそうに！　見ろ、あれを、眼を真赤に泣きはらしている。

第三の市民　ローマ中をさがしても、アントニーにまさる高潔な人格者はいないからな。

第四の市民　おい、聴け、また話を始めるぞ。

アントニー　まさに昨日までは、シーザーの一言、よく全世界に抗しうるの概があった。それが今はこうしてみじめな姿で横たわり、いかなる匹夫《ひっぷ》野人も敬意を表しようとしない。だが、諸君、ああ、もし私になんらかの下心があって、みなを暴動に誘いこみでもしようものなら、それこそブルータスを誣い、キャシアスを誣いることになろう。みなも知っているとおり、両人とも公明正大の士である。二人を誣いる気など私には毛頭ない。それくらいなら、むしろ死者を誣いるに越したことはなく、あえてまた私自身を、さらに諸君を誣いることすら辞せぬであろう。たとえそうしても、かの二人の公明正大の士に誣告《ぶこく》を加えたくないのだ。ところで、ここにシーザーの印のある一葉の書面を御覧にいれよう。シーザー自身の部屋で発見されたのだが、ほかでもない、遺言状だ。市民諸君にして、もしその遺言の内容を聴いてもらえるならば――いや、私の言いすぎだ、なにもここで読みあげようと言うのではない――ただの仮定にすぎぬが、そうすれば、誰しもシーザーの屍に走りより、その傷に口づけせずにはいられまい。めいめい裂《き》れをその聖なる血に浸し、いな、さらに髪の毛の一筋を形身に乞い求め、おのが臨終には、あえてそのことを遺言にまで記し、家の宝として子孫に伝えんとするであろう。

第四の市民　その遺言を聴こう、読んでくれ、マーク・アントニー。

市民一同　遺言状だ、遺言状だ！　シーザーの遺言を聴かせてくれ。

アントニー　落着いてくれ、友人諸君、それを読むわけにはゆかぬのだ。ほかならぬ、諸君のためによくはあるまい、いかにシーザーがみなのことを想《おも》っていたかを知ることは。諸君は木石ではない、人間だ。人間であるからには、シーザーの遺言を聴けば、ために激し狂いもしかねぬであろう。知らぬに越したことはないのだ、自分たちがシーザーの遺産相続人に定められているなどということは。なぜなら、もし知ろうものなら、ああ、どんなことになるか！

第四の市民　遺言状を読んでくれ、おれたちに聴かせてくれ、アントニー。どうしても読んでもらいたいのだ、遺言を、シーザーの遺言状を。

アントニー　みな、落着いてくれぬか？　しばらく待ってもらえないだろうか？　私はつい口をすべらせてしまったのだ。私はあの公明正大な人たちを誣いることになりはせぬか、刃をふるってシーザーを刺した連中を。私はひとえにそのことを恐れるのだ。
第四の市民　みんな謀反人《むほん》ではないか、ふん、公明正大の士か！
市民一同　遺言状だ！　遺言だ！
第二の市民　みんな悪党だ、ただの人殺しさ。遺言状を！　読んでくれ、遺言状を。
アントニー　では、どうしても遺言状を読めと言う？　それなら、シーザーの亡骸《なきがら》のまわりに輪を造ってくれ、みなにはっきり見てもらいたいのだ、その遺言状を書いた男を。壇を降りるが、よいか？　許してくれような？
市民一同　降りてくれ。
第二の市民　降りるのだ。
第三の市民　誰が文句を言うものか。（アントニー、壇を降りる）
第四の市民　輪を造るのだ、まるく拡《ひろが》れ。
第一の市民　壇のそばに寄るな。亡骸のそばによるのではないぞ。
第二の市民　アントニーを通してやれ、高潔の士アントニーを。
アントニー　待て、そう押すな。離れてくれ。
市民一同　あとへ退《さが》れ。道を開けろ！　うしろに退っていろ。
アントニー　もし、諸君に涙があるなら、今こそ、それを流すときだぞ。みな、このマントルに見覚えがあるはずだ。おれには忘れられない、はじめてシーザーがそれを着た日のことが、夏のここを見ろ、夕、戦場の天幕のなかで。その日、シーザーはネルヴィイ族を打ち破ったのだ。見ろ、ここをキャシアスの短剣が刺し貫いたのだ。見るがいい、この酷《むご》い傷口こそ憎むべきキャスカの手のあとだ。そして、これが、あれほどシーザーに愛せられたブルータスの刃のあとなのだ。奴がその呪《のろ》われた剣を引き抜いたとき、想ってもみろ、シーザーの鮮血がさっと迸《ほとばし》り、まるで戸口を押し開けるような勢で剣のあとを追い、今の無法な訪《おとな》いの主がまさかブルータスではあるまいと、それを確めようとしたに違いないのだ。そうではないか、ブルータスこそ、みなも知っていようが、いわばシーザーの天使だった。神とも御照覧いただきたい、シーザーはどんなにあの男を愛していたことか！　この傷こそ、他のどれよりも無慈悲の一撃、そうではないか、さすがのシーザーもおのれを刺さんとするブルータスの姿を眼前に見て、いかなる裏切者の腕よりもはるかに非情のその忘恩に、まったく打砕かれてしまったのだ。気魄《きはく》に満ちた心臓もついにおのれを支《ささ》えきれず、面をマントルに包むや、あのポンペイの脚下に、あたかもその像が吹きだす血の海に身を浸しでもするように、シーザーの巨軀《きよく》は崩れ落ちたのだ。ああ、なんたる破滅の姿か、同胞諸君！　今や、私が、そして諸君が、ともどもに打ち倒されたのだ、しかも、そのとき、兇悪無慙《きようあくむざん》の反逆がわれらの頭上にわが世の春を謳《うた》っている。ああ、みな泣いているな、おれにはよく解《わか》る、心中、惻隠《そくいん》の情を禁じえぬのであろう。まさに聖なる恵みの露と言うべきだ。心やさしきものたち、その涙はただシーザーの衣の傷痕を見ただけで流されると言うのか？　それなら、これを見るがいい、これこそシーザーその人だ、暗殺者どもの手に斬《き》りさいなまれたこの姿を。（マン

トルを引き剝《は》ぐ）

第一の市民　ああ、見るも痛ましい！

第二の市民　シーザー！

第三の市民　なんとみじめな！

第四の市民　謀反人ども、悪党め！

第一の市民　ああ、こんな無慙な見せものがまたとあろうか！

第二の市民　みんなで仇《あだ》を討つのだ。

市民一同　仇を討て！　すぐにも！　敵を捜しだせ！　焼き打ちだ！　火をつけろ！　殺してしまえ！　叩《たた》き殺すのだ！　謀反人どもは一人も生しておくな！

アントニー　待て、同胞諸君。

第一の市民　静かにしろ！　話を聴け、おれたちのアントニーの話を。

第二の市民　さあ、聴こう、なんでも言うとおりにする、死なばもろともだ。

アントニー　わが友よ、心やさしき友よ、私を煽動《せんどう》の徒にしないでくれ、諸君を叛乱《はんらん》の渦《うず》に巻きこもうなどとは露思わぬ。事を起したものは、すべて公明正大の士である。私の怨《うら》みを懐くはずはない、不幸にして私は知らぬ、何ゆえそうまでしなければならなかったか。が、とにかく、いずれも分別を弁《わきま》えた公明正大の士である。かならずや諸君の前に理由を明示するであろう。私がここに来たのは、友よ、諸君の心を盗まんがためではない。私はもとより弁舌の徒にはあらず、その点、ブルータスの比ではない。誰の目にも明かなるごとく、一介の野人に過ぎぬ、ただ友人を愛するのみ、かの人こもそれを認めればこそ、ここにこうしてシーザーのために語ることを公然と許してくれたのである。なぜなら、この私には才智もなければ、言葉もない、名も通ってはおらず、身ぶりよろしく人を惹《ひ》きつける術《すべ》も知らない、喋《しゃべ》り方も不器用なら、説得力にも欠けている、聴き手の血を湧《わ》かせることなど思いもよらぬ。私はただありのままに話すだけだ。諸君自身が知っていることを告げ、諸君に向って愛するシーザーの傷を、あの痛ましい物言わぬ口を差し示し、かれらみずから私の代りに語りかけることを求めるのみ。もし私がブルータスであったら、そしてブルータスがアントニーだったら、おそらく諸君の心を奮いたたせ、このシーザーの無数の傷口に一つ一つ舌を与え、ローマの石すら立って乱を起すほど、興奮の渦を巻き起したに相違ない。

市民一同 そうだ、乱を起せ。

第一の市民 ブルータスの家に火をかけよう。

第三の市民 よし、行け！ さあ、暗殺者たちを捜しだせ。

アントニー まだある、同胞諸君、まだ話したいことがあるのだ。

市民一同 おい、静かに！ アントニーの言うことを聴け！ おれたちのアントニーの話を！

アントニー どうしたのだ、諸君、それでは事の何たるかを弁えずして動こうとするようなものだ。シーザーのどこがそれほどにも諸君の心中だてに値するのか？ 遺憾ながら、諸君はまだ知ってはいないのだ。それを話さねばならぬ。諸君は問題の遺言のことを忘れている。

市民一同　そうだった、遺言状だ！　とにかく、遺言を聴いてからにしよう。

アントニー　これが遺言状だ、シーザーの印がおしてある。ローマ市民全部に洩れなく分配せよとある、全市民、一人一人に、七十五ドラクマずつ贈れと。

第二の市民　おれたちのシーザー！　みんなで仇を討つのだ。

第三の市民　ああ、いつもおれたちのためばかり思ってくれたシーザー！

アントニー　落着いて私の話を聴いてくれ。

市民一同　おい、静かにするのだ！

アントニー　まだほかにもある、シーザーは自分の庭をことごとく諸君に遺《のこ》しているのだ、生前、よく身を休めたお気に入りの木蔭も、新しく造った果樹園も、ティベール河のこちら岸全部をだ。シーザーはそれらを遺してくれた、諸君に、そして諸君の孫子にまで永遠に。今や共有の遊び場が出来たのだ、誰でも気の向くままそこに杖《つえ》をひき、心をやすめる場所が。そういう人だったのだ、シーザーは！　いつまたかかる人物が現れるであろうか？

第一の市民　二度と出て来るものか、二度と。さあ、行こう、行くのだ！　亡骸を神の庭で焼き、その火を謀反人どもの家に投げこむのだ。さあ、亡骸をかつぎあげろ。

第二の市民　火を持って来い。

第三の市民　ベンチを叩き毀《こわ》すのだ。

第四の市民　そうだ、腰掛けだろうが、窓だろうが、片端からぶち毀してしまえ。（一同駆け去る。棺を運んできた連中はそのあとを追う）

アントニー　あとは成りゆきに任せればいい。禍《わざわい》の神め、やっと腰を挙げたな、さあ、行け、どこへでも貴様の好きなところへ。

オクテイヴィアスの召使が登場。

アントニー　おお、お前か！

召使　アントニー様、オクテイヴィアスがついにローマ入りを。

アントニー　どこにいる？

召使　レピダスと一緒にシーザーの邸《やしき》におります。

アントニー　それなら、おれもすぐ会いに行く。オクテイヴィアス、いいところへ来てくれた。運命の女神、ひどく御機嫌《ごきげん》と見える、この調子だと、おれたちになんでもくれそうだぞ。

召使　主人の話では、ブルータスとキャシアス、両名ともあたかも狂人のように馬を駆り、城門より落ちのびたとのことにございます。

アントニー　どうやら、市民の様子で勘づいたと見える、おれが奴らの心を握ってしまったことを。さ、すぐオクテイヴィアスのところへ連れて行ってくれ。（二人退場）

〔Ⅲ-2〕9

10

〔第三幕 第三場〕

前場と同じ

詩人のシナが登場。そのあとから市民たちが棍棒《こんぼう》を手について来る。

シナ　夢の中で、ゆうべ、おれはシーザーの饗応《きようおう》を受けた。そのためか、不吉な思いが胸の底に深く澱《よど》んでいる。出歩く気にはなれぬのだが、そのくせ何かがおれをおびきだす。

市民たちが周囲をとりまく。

第一の市民　名前を言え。

第二の市民　行く先はどこだ？

第三の市民　住いは？

第四の市民　女房もちか、独《ひと》り者か？

第二の市民　さあ、一つ一つ返答しろ、真直ぐに。

第一の市民　そう、それも手短かにな。

第四の市民　そう、それに要領よくだ。

第三の市民　そう、もう一つ、包み隠さずに、それが身のためだぞ。

シナ　名前を言え、行く先はどこだ、住いは、女房もちか、独り者か。あげくの果てに、一つ一つ返答しろときた、真直ぐに、手短かに、要領よく、しかも包み隠さずにとな。なるほど、要領なら、いい方だ、おれは独り者だからな。

第二の市民　そう言うからには、女房をもっている奴は、みな馬鹿だというわけだな。一発お見舞申しあげるとするか、その返事だけでもな。さあ、次だ、真直ぐに答えろ。

シナ　真直ぐにと、これからシーザーの葬式に出かけるところさ。

第一の市民　身方としてか、敵としてか？

シナ　身方としてだ。

第二の市民　結構、真直ぐに答えたな。

第四の市民　問題は住んでいるところだ、手短かに言え。

シナ　手短かにも何も、すぐその議事堂の近くに住んでいる。

第三の市民　名前を言ってもらおう、包み隠さず。

シナ　隠れもなし、わが名はシナ。

第一の市民　八つ裂きにしてしまえ、裏切者の一人だぞ。

シナ　おれは詩人のシナだ、詩人のシナだ。

第四の市民　八つ裂きだ、いいかげんな歌をつくりやがって、八つ裂きにしてやれ、下手《へた》な歌の罰だ。

シナ　おれは謀反人のシナではない。

第四の市民　そんなことはどうでもいい、とにかくシナだ。そいつの心臓から名前だけ抉《えぐ》り取って、追い返してやれ。

第三の市民　八つ裂きだ、八つ裂きにしてしまえ！（一同、シナに摑《つか》みかかる）さあ、薪《まき》を持って来い、おおい！　燃えている丸太だぞ。ブルータスの家へ行くのだ、キャシアスの家へ、みんな焼き払ってしまえ。誰か、ディーシアスの家へも押しかけろ、それからキャスカのところへもだ。リゲーリアスのところにもな。さあ、行け、みんな！（一同、めちゃめちゃになったシナの体を引きずって退場）

11

〔第四幕　第一場〕

アントニー邸の一室

アントニー、オクテイヴィアス、レピダスの三人がテーブルを囲んでいる。

アントニー　これだけが、結局死刑だ。名前に印がつけてある。

オクテイヴィアス　きみの兄も死をまぬかれまい。いいか、レピダス？

レピダス　異存はないが――

オクテイヴィアス　印をつけてくれ、アントニー。

レピダス　ただし条件附きだ、パブリアスも生かしてはおけぬ、きみの姉上の令息ではあるが、いいか、マーク・アントニー。

アントニー　もちろん生かしてはおかぬ。見てくれ、この点ひとつで地獄送りだ。ところで、レピダス、シーザーの邸まで行ってもらいたいのだが。遺言状をおさえてしまってくれ。三人で決めておいたほうがいい、例の遺産処分の件だが、金額を少しでも削減する手はないものか。

レピダス　で、またここで会うということに？

オクテイヴィアス　ここでもいいし、さもなければ、議事堂にいる。（レピダス退場）

アントニー　なんの取柄もない、くだらぬ男だ、精〻使い走りが分相応といったところさ。どういうものかな、天下を三分するのはいいが、奴にも一口かませ、それだけの分前を認めるというのは？

オクテイヴィアス　それこそ、きみの考えだった、じじつあの男の意見を入れて、誰を死刑に処すべきか、処刑の名簿を造りあげたくらいだ。

アントニー　オクテイヴィアス、きみよりはおれの方が年功を積んでいるのだぞ。なるほど、あの男にもいろいろ花をもたせてはきた、が、つまりはおれたちの肩から、世間が押しつける数〻の中傷の重荷を取除き、代りにかついでもらおうというわけだ。驢馬《ろば》と同じだ、黄金を山と積んでは、みたものの、いざ、それを背負って歩きだすとなると、その苦しさに呻《うめ》き、汗を流し、鼻面を引っぱられたり尻を叩かれたり、結局はこちらの指図《さしず》どおりに動くほかはない。あげくの果てに、注文どおり目的地まで宝の山を運んでくれさえしたら、あとはその荷を降して、帰ってもらうのがこちらの仕事、やつの方は空馬同然、耳をぴくつかせながら、そこらの野原で草でもはんでいればいいのだ。

オクテイヴィアス 思うとおりにするがいい。ただ、あの男は百戦錬磨の勇将だからな。

アントニー それなら、おれの馬と同じだ、オクテイヴィアス、だからこそ、飼葉だけはたっぷり当てがってある。つまり、仕込めば仕込める生き物だからな、戦う、輪を描く、立ち止る、まっしぐらに駆ける、すべては教えたとおり、その体の動きをおれの意のままに操ることが出来る。その点、どうやらレピダスも同じだ。あの男も教えてやらねばならぬ、調練が必要だ、一々号令をかけてやらなければ動けない。要するに石頭だ。よくあるやつで、何よりの好物が、評判だおれの名物に、ごまかし仕事に、はやりもの、それも人に棄てられ腐りかかったやつを拾って身につけ、自分では結構、流行の尖端《せんたん》を行ったつもりでいるのだ。が、あの男の話はもうやめにしよう、ただの小道具と思っていればいいのさ。それより、オクテイヴィアス、重大な話があるのだ。ブルータスとキャシアスがしきりに兵を集めている。われわれとしても、ただちに全軍の集結を計らねばならぬ。そのためにも、おたがいに固く手を握りあい、有力な同志を頼みに、縦横の策をたてておきたいのだ。それと、さしあたって今すぐ相談しておきたいことがある、どうしたらみごと先手を打って陰謀を摘発し、このあらわな危機にぬかりなく対処できるかを。

オクテイヴィアス　そうしよう。よくある見世物ではないが、おれたちは棒につながれ、犬をけしかけられた熊も同じこと、四方八方、群《むらが》る敵に吠《ほ》えたてられているようなものだ。面に微笑をたたえているやつこそ、心中、どうやら敵意満々というところらしい。（二人退場）

〔第四幕　第二場〕

12

サルディス附近、ブルータスの陣地、その天幕の前

ドラムの音。ルーシリアスを先頭に軍隊がはいって来る。そのなかに、キャシアスの奴隷ピンダラスも混っている。ブルータスが天幕から姿を現す。うしろにルーシアスが随《したが》う。

ブルータス　止れ！

ルーシリアス　命令伝達！　止れ！

ブルータス　どうだった、ルーシリアス！　キャシアスは来たか？

ルーシリアス　は、すぐ近くに。ピンダラスが来ております、ひとまず主人に代って御挨拶を申し述べたいとのこと。

ブルータス　キャシアスめ、おれの扱い方を心得ているな。ところで、その御主人だが、ピンダラ

ス、人が変ったのか、それとも部下に悪いのがいるせいか、いずれにもせよ、近頃の様子、二三のみこめぬふしがあり、おれとしては取返しのつかぬことをしてしまったのではないかとさえ思っているのだ。しかし、近くに来ているというなら、いずれそれも納得させてもらえよう。

ピンダラス　それはもう間違いございませぬ、やがてこちらにお見えになりましょうが、きっとお人柄そのままのおふるまい、尊敬するにたる人物とお認めいただけましょう。

ブルータス　それを疑うわけではない。それにしても、もう一つ、ルーシリアス、会って、向うの応対ぶりはどうだった、様子を聞かせてくれ。

ルーシリアス　慇懃鄭重《いんぎんていちょう》、非の打ちどころはありませんでした。ただ、いつもの打ち解けた態度、腹蔵のない率直な話しぶり、そういうものがありません、以前とは違います。

ブルータス　その言葉のとおりだ、熱い友情がさめてゆく過程というものは。よく覚えておくがいい、ルーシリアス、愛情というやつは、消え衰えかけると決ってわざとらしい儀礼を用いはじめるのだ。むきだしの素直な実意は細工を必要としない。が、不実な人間は、まあ、馬にたとえてみれば、駆けだしだけが調子よく、いかにも派手で、溢《あふ》れんばかりの気力を見せるが、いざ決戦の場に臨み、厳しい血まみれの拍車に耐えねばならぬとなると、たわいなく頭《こうべ》を垂れて、いや、まったく見かけだおしの駄馬《だば》同然、肝腎《かんじん》のとき、つぶれてしまうのだ。キャシアス麾下《きか》の部隊も一緒に来るのか？

ルーシリアス　今夜の予定は、一同、このサルディスに野営とのこと、その大方が、騎兵部隊の総

力をあげて、キャシアスに随っております。（陰でドラムの音）

ブルータス　あれを。着いたらしい。静かに出迎えの行進を。

キャシアスがティティニアスと共に部隊を引き連れて登場。

キャシアス　止れ！

ブルータス　止れ！　命令伝達。

第一の士官　止れ！

第二の士官　止れ！

第三の士官　止れ！

キャシアス　立派な兄貴だ、よくもおれに辱《はずかし》めを加えたな。

ブルータス　神こも照覧あれ、辱めを加える、このおれが敵にさえそんなことをしたことがあるか？　あるまい、それなら、どうして兄弟に辱めを加えなどするものか？

キャシアス　ブルータス、それ、その落着きはらった態度、その仮面の下に侮りを隠しもっているのだ。いつも人を侮るときには――

ブルータス　キャシアス、興奮しては困る。不満があるなら、穏かに言ってくれたらいい。昔からのつきあいではないか。それに、おたがい、目の前に部下もいることだ。二人の友情を疑わせるようなものは影一つ見せたくない。ここで言い争うのはやめにしよう。ひとまず、みんなを退《さが》らせてくれ。そうしたら、おれのテントに来てくれ、キャシアス、いくらでも不満を述べるがいい、喜んで耳を貸そう。

キャシアス ピンダラス、隊長たちに命令を伝えてくれ、兵を少し離れたところへ連れて行くように。

ブルータス ルーシアス、お前からもそう伝えてくれ。会談中、誰も天幕に近づけてはならぬ。ルーシリアスとティティニアスを衛兵に立てるように。

13

〔第四幕 第三場〕

前場と同じ

軍隊が去り、ブルータスとキャシアスは天幕の内に入る。ルーシリアスとティティニアスがその入口に立つ。

キャシアス おれに辱めを加えたというのは、つまり、こうだ。たとえば、ルーシアス・ペラを弾劾し、ひどい汚名を着せたではないか、この地でサルディス人相手に賄賂《わいろ》を取ったからだという。しかも、おれはあの男の立場を思い、赦免歎願の手紙を書いた、というのも、おれにはあの男がよく解《わか》っているからだが、それをきみは一つとして取上げてくれなかった。

ブルータス　そんな場合、手紙を書くということ自体、われとわが身に辱めを加えるようなものではないか。

キャシアス　こんな場合だからこそ、適切ではないというのだ、些《さ》細《さい》な罪を一〻あげつらってみたところで始らぬ。

ブルータス　まあ、待て、キャシアス、きみ自身についても大分非難の声が高まっているのだ、いつも掌をむずむずさせている男だ、金がほしさにろくでもない奴に地位を売っているとな。

キャシアス　掌をむずむずさせている男だと！　しかもブルータスがそれを言う。ほかの奴だったら、その言葉を最後にあの世に送りこんでやるところだぞ。

ブルータス　キャシアスの名がこの腐敗醜聞の楯《たて》となり、逆に懲罰の方で頭を隠すという有様だ。

キャシアス　懲罰だと！

ブルータス　忘れてくれるな、春のことを、三月十五日を！　あの大シーザーが血を流したのも正義のためではなかったのか？　あの体に手を触れたもののうち、そんな悪党がただの一人でもいたというのか、いたずらに兇刃《きょうじん》を揮《ふる》うのみで正義のことなど考えなかったような男が？　それを、たとえ一人でもあっていいと思うのか、ほかでもない、あの地上最高の人物を斃《たお》したおれたちではないか、それもただあの男が盗人にもひとしき奴輩《やつばら》を庇《ひ》護《ご》した一事を憎んでのこと、そのおれたちが陋劣《ろうれつ》きわまる賄賂におのが指先を穢《けが》し、天下に周《あまね》き栄誉を一握りの目くされ金で売り渡す、それでいいのか？　おれはむしろ犬になって月に吠《ほ》えたほうがいい、そんなローマ人に成りさがるくらいなら。

キャシアス　ブルータス、おれに吠えるのはやめろ。もうこれ以上、我慢はしないぞ。正気とは思われぬ、そうまでしておれを追い落そうなどと。おれは武人だぞ、おれは、しかもきみより経験を積んでいる、部下の信賞必罰についても遙《はる》かに心得ているのだ。

ブルータス　もう一度言ってみろ、それだけの器量があるものか、きみに。

キャシアス　あるとも、おれには。

ブルータス　何度でも言う、きみには無い、それだけの器量は。

キャシアス　これ以上、おれの腹の虫に触るのはやめにしろ、何をしでかすかわからないぞ。少しは命のことも考えたらどうだ、おれを怒らせるのも、もうこのくらいで止《や》めにしておいたほうがいい。

ブルータス　出て行け、くだらぬ奴だ！

キャシアス　本気か、それは？

ブルータス　よく聴《き》け、言うぞ。おれは貴様が癇癪《かんしゃく》を起すのを黙って承っていなければならないのか？　気違いに睨《にら》みつけられて震えあがるような男になれと言うのか？

キャシアス　おお、神々も御照覧なさるがいい！　こうまで言われてもじっと我慢していなければならないのか？

ブルータス　こうまで！　おお、まだある。いくらでも怒れ、その傲慢《ごうまん》な心臓が裂けるまで。まあ、自分の奴隷どもでも相手に、その癇癪に猛《たけ》り狂った姿を見せてやり、精〻奴らを震えあがらせてやるのだな。このおれまで、尻尾《しっぽ》を巻かねばならぬと言うのか？　貴様を畏《おそ》れてお追従《ついしょう》の一つも言わねばならぬとでも？　貴様が腹をたてたからといって、どうしておれがその鼻息を窺《うかが》い、小さくちぢこまっていなければならないのだ？　よしてくれ、貴様の腹の虫が吐いた毒汁ではないか、またその胃の腑《ふ》に押しもどしてやるだけだ、それで貴様の腹が爛《ただ》れて裂けようと、おれの知ったことか。いいか、今日が最後だぞ、これからはきみを肴《さかな》に憂さばらしが出来る、いや、恰好《かっこう》な笑いの種にも、精一杯ぷりぷりしていただこうか。

キャシアス　そうまで言うのか？

ブルータス　自分の方が武人として一枚上だと言う。それだけの証拠を見せてもらおう。その高言を実証してくれれば何よりだ。偉い男とあれば誰でも、おれは喜んで教えを乞いたい。

キャシアス　きみはどこまでもおれを辱める気だな。それこそおれを誣《し》いるというものだぞ、ブルータス。確かにおれは言った、武人として経験を積んでいると、が、一枚上だなどと言いはしない。そう言ったと言うのか、一枚上だと？

ブルータス　そう言っても、おれは意に介しはしないぞ。

キャシアス　あのシーザーでも、生前、こうまでおれを踏みつけには出来なかったろう。

ブルータス　待て、言うな！　きみの方でも、シーザーにはそうまで逆《さから》う勇気はなかったろう。

キャシアス　おれにはその勇気がなかったろうと？

ブルータス　あるものか。

キャシアス　もう一度、おれにはシーザーに逆う勇気がなかったと言うのか？

ブルータス　一かけらもありはしなかった。

キャシアス　友情に甘えて、あまりいい気になるな。おれだって、何をするか解らないぞ、あとで我ながら後悔するようなことでも、いざとなれば。

ブルータス　その当然後悔して然るべきことを、きみはすでにやってしまった。今さら、いくら嚇《おど》そうと、キャシアス、そんなことで誰が恐れるものか。見るがいい、潔白の鎧《よろい》がおれの体をしっかり守っている、どんな凄《すご》文句を並べられようと空吹く風も同然、おれは一向、気にしない。いつだったか、おれはきみに使いをやったことがある。いくばくかの金が入用だったのだが、きみはそれを断ったな。おれという男は金をつくるために邪《よこしま》な手段に訴えることが出来ないのだ。誓ってもいい、たとえ自分の心臓を溶して、その一滴一滴の血の滴《したた》りでドラクマ貨幣を鋳ようとも、百姓どもの握りしめた掌から僅かな目くされ金を捥《も》ぎとるために、不正手段を用いる気にはなれない。ああして使いをやったのも、兵士たちに俸給を仕払う金がほしかったからだが、それをきみは断った。あれがキャシアスの流儀だったのか？　おれだったら、ケイアス・キャシアスにあんな返事をしただろうか？　万一、このマーカス・ブルータスが守銭奴に成り下り、取るに足らぬ端金を惜しんで、友達の乞いを卻《しりぞ》けでもしようものなら、神々も仮借は要《い》らぬ、いつでもその雷の一撃をもって、この身を粉微塵《こなみじん》に打ち砕かれるがいい。

キャシアス　おれは断りなどしなかった。

ブルータス　断った。

キャシアス　断りはしない。どこかの阿呆《あほう》がおれの返事を伝えたのだ。ブルータス、きみはおれの心を引裂いてしまったぞ。友は友の瑕瑾《かきん》を許すべきではないか、だのに、ブルータスはそのおれの些細《ささい》な傷を実際よりも大きく見せようとするのだ。

ブルータス　そんなことはない、きみの方でそれをおれに押しつけ、おれを苦しめさえしなければな。

キャシアス　きみはもうおれを愛してはいない。

ブルータス　おれはきみの弱点が気に入らぬのだ。

キャシアス　友達の目には、そんな弱点は映らぬはずだ。

ブルータス　追従者の目には映らぬでもあろう、たとえそれがオリムパスの山ほど大きくともな。

キャシアス　さあ、いつでも来るがいい、アントニー、青二才のオクテイヴィアス、さあ、思うぞんぶん恨みをはらすがいい、キャシアス一人を敵に。このキャシアスはもう世の中が厭《いや》になったのだ。愛する友に憎まれ、兄と頼む男にないがしろにされ、奴隷のように叱《しか》りとばされる。いかなる弱点も監視の目を逃《のが》れえず、一つ一つ記帳され、その胸のうちに執念ぶかく畳みこまれる。それがことごとく攻撃の矢となって、おれの頭上に降り注ぐのだ。おお、おれは泣きたい、泣いて涙とともに心も魂も溶けて流れてしまえばいい！　ここに短剣がある、そして、これ、この裸の胸、そのなかには心臓が秘められている、冥界《めいかい》の王プルートの支配する地下の鉱脈よりも高価な、黄金よりも貴重な心臓が。きみが確かにローマ人なら、さあ、それを抉《えぐ》りとれ。おれが、黄金を断ったおれが、そのおれの心臓をくれてやるのだ。突け、シーザーを斃したときのように、今こそ、解った、きみはシーザーを心底から憎んでいたときでも、まだしもこのキャシアスよりは愛していたのだ。

ブルータス　剣を納めろ。怒りたいだけ怒るがいい、きみの自由だ。気のすむようにしろ、どんな無礼を働こうと、虫のせいとしか思うまい。なあ、キャシアス、きみの相手は小羊なのだ。腹はたてても長続きはしない、燧石《ひうちいし》の火と同様、強く打たれれば、束《つか》の間《ま》の火花を発しようが、またすぐもとの冷さにもどってしまうのだ。

キャシアス　このキャシアスが今日まで生きながらえてきたのも、ただ心の友ブルータスの「憂さばらしの肴《さかな》」や「笑いの種」になるためだったと言うのか、それも悲しみと憤りに身を売ってまで、そうなれと?

ブルータス　いや、あのときは、おれも憤りのあまり、つい口が過ぎたのだ。

キャシアス　本心からそう言ってくれるのか?　手をくれ。

ブルータス　ついでにこの心も。

キャシアス　おお、ブルータス!

ブルータス　どうかしたのか?

キャシアス　きみにはおれを許してくれるだけの愛がないのか、母親ゆずりの激情に我を忘れたおれを？

ブルータス　あるとも、キャシアス、今後きみがむきになって、きみのブルータスに突きかかってきたときには、まあ、きみの母上に叱られているのだと思って、黙って見すごすことにしよう。

外の声　両指揮官に会わせてもらおう。おたがいに何か隔意があるのだ。二人だけにしておくのはよくない。

ルーシリアス　（声のみ）通すわけにはゆかぬ。

外の声　殺されても通ってみせる。

　詩人がはいって来る。そのあとにルーシリアス、ティティニアス、ルーシアスが続く。

キャシアス　どうした！　何かあったのか？

詩人　恥さらしとはこのことだ！　どういうおつもりか？

　和したまえ　将たるものの　心得ず

　聴きたまえ　よわい重ねし　われの言う

キャシアス　は、は！　愚にもつかぬ唄《うた》を作ったものだ、この下郎め！

ブルータス　行かぬか、この無礼者、行ってしまえ！

キャシアス　許してやってくれ、こいつの持病なのだ。

ブルータス　いつもの気まぐれ、許さぬでもないが、それなら時と場所を心得るがいい。戦いが始るのだ、こんな薄のろ詩人になんの用がある？　こいつめ、さあ、行け！

キャシアス　さ、早く、行ってしまえ！　（二人で詩人を追いだしてしまう）

ブルータス　ルーシリアスとティティニアス、隊長たちに命じて、夜営の準備をさせるように。

キャシアス　また戻ってくるのだぞ、そのときメサーラも一緒に、すぐにな。（ルーシリアスとティティニアス、命のまま退場）

ブルータス　ルーシアス、酒を持って来い！　（ルーシアス、テントの奥に入る）

キャシアス　想《おも》いもよらなかったぞ、きみがあんな激しい怒り方をしようとは。

ブルータス　ああ、キャシアス、おれは悲しみに胸が搔《か》きむしられるようだ。

キャシアス　きみの人生観も大事の役にはたたぬということになるな、つまらぬことにそう一々気を取られているようでは。

ブルータス　悲痛に堪えるとなれば、おれは誰にもひけはとらぬ。ポーシャが死んだ。

キャシアス　えっ！　ポーシャが！

ブルータス　死んだのだ。

キャシアス　よくおれを殺さなかったな、さっきあれほどきみに楯ついたおれなのに？　どうにも堪えられぬ、取返しのつかぬ不幸だ！　どういう病気で？

ブルータス 留守の寂しさに堪えかねたのだ、それにオクテイヴィアス、マーク・アントニーの一派がここのところ急に強大な兵力を擁してきた、それを悲しんでのことだ。現に、死の知らせとともに、そういう情報が来ている。そのための乱心であろう、召使どもの隙《すき》をねらって、火を嚥《の》んだのだ。

キャシアス そんな死に方を?

ブルータス そうなのだ。

キャシアス ああ、なんということを!

ルーシアスが酒と蠟燭《ろうそく》をもって来る。

ブルータス その話はもうよそう。さあ、酒をくれ。このなかにおれは一切の憎しみを葬ってしまうぞ、キャシアス。(飲む)

キャシアス おれの心はその乾杯に飢えていたのだ。注いでくれ、ルーシアス、なみなみと溢《あふ》れるまで。ブルータスの友情とあれば、いくら飲もうと飲みすぎはしない。(飲む。ルーシアス去る)

ティティニアスがメサーラと共に登場。

ブルータス はいれ、ティティニアス! 待っていたぞ、メサーラ。さあ、みんな、この蠟燭のまわりに坐ってくれ、当面の緊急事態について討議しようではないか。

キャシアス　ポーシャ、あなたはもうこの世にいないのか？
ブルータス　もうやめてくれ、頼む。メサーラ、ここに報告が来ているが、オクテイヴィアスとマーク・アントニーが大軍を率いて押しよせて来るとのこと、フィリッピの野を目ざしているらしい。
メサーラ　私の方にも同じ報告がまいっております。
ブルータス　そのほかに何か書いてなかったか？
メサーラ　処刑と市民権剝奪《はくだつ》の命令を発したとか、オクテイヴィアス、アントニー、レピダスの三巨頭はそれにより、百名に及ぶ元老を死刑にしたとのこと。
ブルータス　その点、おたがいの報告はかならずしも一致していないな。おれの方には元老七十名を処刑とある。シセローもその一人だ。
キャシアス　シセローもその一人！
メサーラ　シセローも死にました、しかも処刑の命によって。奥様から何かお便りがありましたか？
ブルータス　いいや、メサーラ。
メサーラ　お受けとりになった報告のうちにも、奥様のことは何も？
ブルータス　何もなかったな、メサーラ。
メサーラ　それは、どうも、おかしい。

ブルータス また、どうしてそんな話を？　きみの方にはあれのことで何か書いてあったのか？

メサーラ いえ、べつに。

ブルータス さあ、きみもローマ人なら、あるがままの真実を語るがいい。

メサーラ それなら、ローマ人らしく、私の申しあげる真実にお堪えになるよう。確かに奥様はお亡《なくな》りになりました、それも妙なことで。

ブルータス おお、冥福《めいふく》を祈るぞ、ポーシャ。人間、いずれは死なねばならぬのだ、メサーラ。あれもいつか死なねばならぬ身と思えば、今それに堪えられぬわけがない。

メサーラ そうせねばなりますまい、大いなる人間に大いなる傷手《いたで》は宿命でございます。

キャシアス おれも理窟のうえではそのとおりだと思う。が、情において、とてもそうは堪えきれぬ。

ブルータス ところで、さしあたっての行動だ。どう思う、ただちにフィリッピの野に兵を進めるというのは？

キャシアス まずいぞ、それは。

ブルータス 理由は？

キャシアス こうだ、つまり、敵にこちらを狙《ねら》わせたほうが、策の上なるものと思うのだ。そうすれば、向うは物資の損耗を招き、兵を疲れさせ、われとわが身を痛めつける結果になる。その間、身方は静かに寝て待つだけだ、英気に溢《あふ》れ、備えに一分の隙もなく、いつでも敏捷《びんしょう》な行動に出られるというものだ。

ブルータス　善き理由は、それだけに当然、より善き理由に席を譲らねばならぬ。フィリッピとこの地の間の住民がわれわれに心を寄せているといっても、それはいわばしようことなしの協力だ。徴発にもいやいや応じてきたくらいだからな。敵軍は、いずれその間を縫って押し寄せよう、寄せながら、しかもかれらを身方に加え、ますます肥え太り、兵糧、兵力の増強に闘志を燃やして襲いかかって来るに相違ない。その利点をかれに許さぬためには、われより進んでフィリッピの野に敵を迎え、住民どもをうしろにおさえ、両者を隔離してしまうにしくはあるまい。

キャシアス　おれの言うことも聴《き》いてくれ、ブルータス。

ブルータス　まあ、待て。もう一つ勘定に入れておいてもらいたいことがある。われわれとしても、身方にもうこれ以上の協力を望むのは無理だ。今や、兵たちは士気に溢れ、機は熟している。敵方は日ごとに上昇の道を辿《たど》る一方だが、わが方はすでに絶頂を極め、いつ降り坂にさしかからぬとも限らぬ。おおよそ人のなすことには潮時というものがある、一度その差し潮に乗じさえすれば幸運の渚《なぎさ》に達しようが、乗りそこなったら最後、この世の船旅は災難つづき、浅瀬に突きこんだまま一生うごきがとれぬ。いわばその満潮の海に今われわれは浮んでいる、せっかくの差し潮、それに乗じなければ、賭《か》けた船荷を失うばかりだ。

キャシアス　それなら、きみの言うとおりにしよう、打って出て、フィリッピに敵を迎えるのだ。

ブルータス　話しているうちに夜も深まった。自然の要求には従わねばならぬ、おとなしく言うことをきいて、しばらく横になるとしようか。ほかにもう用はないな？

キャシアス　何もない。では、休んでくれ。あすは早く起きて、すぐ行動に移ろう。

ブルータス　ルーシアス！（声に応じてルーシアスがもどって来る）部屋着を。（ルーシアス出て行く）では、これで、メサーラ。退《さが》って休め、ティティニアス。それから、おれの尊敬してやまぬキャシアスも、さあ、休んでくれ、ゆっくりな。

キャシアス　ブルータス！　今夜はいやな幕開きだった。もうたくさんだ、おたがいの間であんな諍《いさか》いは！　これを最後にな、ブルータス。

ブルータス　もう心配することはない。

キャシアス　では、これで退らせてもらう。

ブルータス　おやすみ、キャシアス。

ティティニアス
メサーラ　｝私たちも退らせていただきます。

ブルータス　では、これで。（ブルータスだけ残り、一同退場）

ルーシアス、部屋着を持って出る。

ブルータス　部屋着をくれ。お前の楽器はどこにある？

ルーシアス　ここにございます、天幕のなかに。

ブルータス　どうした、いかにも眠そうな喋《しゃべ》りかたではないか？　いや、叱《しか》っているのではない。すっかり夜ふかしをさせてしまったな。クローディアスを呼べ、それから誰か部下のものをもう一人。この天幕で寝てもらうことにする。

ルーシアス　ヴァロー、クローディアス！

ヴァローとクローディアスが登場。

ヴァロー　お呼びで？

ブルータス　頼む、おれの天幕で寝てくれ。あとで起すかもしれぬ、キャシアスへの使いにな。

ヴァロー　おさしつかえなければ、それまで不寝番を勤めましょう。

ブルータス　そうまでしなくてもいい。横になってくれ。考えているうち、その必要がなくなるかもしれぬからな。おい、ルーシアス、あんなに探していた本がこんなところに、部屋着の隠しに入れ放しだったのだ。（ヴァローとクローディアスは横になる）

ルーシアス　私も確かにお受けとりした覚えはなかったので。

ブルータス　許してくれ、おれもすっかり忘れっぽくなってしまったな。ところで、すまぬが、その重そうな目蓋《まぶた》をもうしばらく持ちあげていられるかね、出来れば、その楽器に一曲か二曲のせてもらいたいのだが？

ルーシアス　はい、お望みとあれば。

ブルータス　そうしてもらいたい。いつも無理ばかり言うが、よくきいてくれるな。

ルーシアス　それが私の仕事でございます。

ブルータス　たとえお前の仕事でもお前の力以上にさせるわけにはゆかぬ。若い肉体に休息が必要とは承知しているが。

ルーシアス　じつはもう一寝入りしてあるのです。

ブルータス　それはよかった。またあとで寝てもらおう。長くはかからぬ。もし生きのびられたら、精々かわいがってやるぞ。(音楽と唄《うた》) ひどく眠い調べだな。おお、人の意識を奪い去る眠り、その鉛の杖《つえ》で、こうしておれのために楽を奏でてくれる子供に呪《のろ》いをかけようというのか? かわいい子だな、おやすみ。心ないことはしたくない、起すものか。だが、一つこくりとやれば、楽器をこわすぞ。さあ、こちらに頂戴しておこう。では、いい子だ、おやすみ。(そっとルートをはずす) さて、どこかな、読みさしのところで折っておいたはずだが? ここだったな、たしか。(腰をおろす)

シーザーの亡霊が出る。

ブルータス　燃えの悪い蠟燭《ろうそく》だな! は! 何者だ、そこにいるのは! あるいは目の疲れかもしれぬ、あのような怪しい亡霊の姿を映しだすというのは。おれの方にやって来る。形あるものなのか、貴様は? 神か、天使か、魔性のものか、こうして血を凍らせ、髪の毛を逆立たせるとは？　言え、何者だ！

亡霊　お前を滅す悪霊《あくりよう》だぞ、ブルータス。

ブルータス　おれになんの用があるのだ？

亡霊　フィリッピの野で会おう、その知らせのために。

ブルータス　そうか、では、もう一度、会うのだな？

亡霊　そうだ、フィリッピの野で。

ブルータス　よし、フィリッピで会おう、改めて。（亡霊消える）ようやく正気を取戻したと思ったら、消えてしまった。悪霊め、もっと話したかったぞ。おい、ルーシアス！　ヴァロー！　クローディアス！　みんな、起きろ！　クローディアス！

ルーシアス　あの、糸が狂ってしまったのです。

ブルータス　まだ楽器を鳴らしているつもりだな。ルーシアス、目を醒《さま》すのだ！

ルーシアス　はい、何か？

ブルータス　夢を見ていたのだな、ルーシアス、ずいぶん大きな声だったぞ。

ルーシアス　旦那様《だんなさま》、ちっとも存じませんでした、何か言ったなどと。

ブルータス　いや、言ったぞ。お前、何か見なかったか？

ルーシアス　いいえ、何も。

ブルータス　もう一度、寝なおすがいい、ルーシアス。おい、クローディアス！（ヴァローに）

〔V-1〕14

おい、起きろ！

ヴァロー　は、何か御用で？

クローディアス　何か？

ブルータス　なぜあんな大声をだしたのだ、眠っていたのに？

ヴァロー　大声を、私たちが？

クローディアス　大声を、私たちが？

ブルータス　そうだ、何か見たのか？

ヴァロー　いいえ、何も見ませぬ。

クローディアス　はい、私も何も。

ブルータス　すぐキャシアスのところへ行き、伝言を頼む。ただちに部隊をまとめ、一足さきに進発してくれと言え、われわれはすぐそのあとに随《したが》うからとな。

ヴァロー
クローディアス　｝は、御命令どおりに。（一同退場）

14

〔第五幕　第一場〕

フィリッピの平原

片側は岩がいくつかあり、山に続く。
オクテイヴィアスとアントニーが軍隊を率いて登場。

オクテイヴィアス　いよいよ、アントニー、こちらの注文どおりになってきたぞ。きみの予想では、敵はここまで降りて来ず、もっぱら丘陵地帯に拠るだろうということだった。ところが、今や、そうではない。敵軍はすぐ鼻の先に迫っている。どうやらこのフィリッピの野にわれらを迎え撃たんとしているらしい。こちらで頼みたいことを、頼まぬさきに聴《き》きいれてくれたようなものだな。

アントニー　ふん、おれには奴らの腹が丸見えだ、解《わか》っている、なんのためにそんなことをするか。出来ることなら、他の地点を選びたいところだ、それをあえて降りて来ようというのは、恐怖を内に隠し、ただ表面、虚勢を張っているだけのこと、おそらくそんな顔を作って、士気さかんなりと思いこませたいのだろう。が、実際はそれどころではない。

使者が駆けつける。

使者　応戦の御用意を。敵方はいかにも装い勇しげに押し寄せてまいります。すでに開戦合図の緋色《ひいろ》の戎衣《じゅうい》も敵の天幕に掲げられてあります、時を移さずただちに御手配のほどを。

アントニー　オクテイヴィアス、きみは自分の部隊を率いて、急がず平野の左ぞいに兵を進めてもらいたい。

オクテイヴィアス　右がおれだ、きみが左を採れ。

アントニー　大事の場合、なぜおれに突きかかるのだ？

オクテイヴィアス　きみに突きかかるつもりはない、ただ、そうしたいだけのことだ。

ドラムの音。ブルータスとキャシアスが軍隊を率いて登場。ルーシリアス、ティティニアス、メサーラ、その他もいる。

ブルータス　敵は動かぬ、会見を求めているらしい。

キャシアス　ここにいてくれ、ティティニアス、おれたちは会って話して来なければなるまい。

オクテイヴィアス　マーク・アントニー、そろそろこちらも開戦の印を掲げるとするか？

アントニー　それよりは、シーザー、敵方で仕掛けて来るのを待つのだ。行ってみよう、あの二人、何か話があるらしい。

オクテイヴィアス　（将兵に）合図をするまで決して動くな。

ブルータス　手を出す前に、まず言葉を、そのつもりだろうな？

オクテイヴィアス　といって、われわれ、言葉の方を重んじているわけではない、そこはきみらと違うぞ。

ブルータス　善き言葉は悪しき手に優るのだ、オクテイヴィアス。

アントニー　きみはその悪しき手を振りかざしながら、ブルータス、口には善き言葉を吐く手合いだ。何よりの証拠に、見るがいい、その手で抉《えぐ》ったシーザーの胸の傷口を、しかも口には「シーザー万歳！」を叫びながらな。

キャシアス　アントニー、なるほどきみの手並みはまだ拝見していない。が、言葉の方は大したものだな、ハイブラの蜜蜂《みつばち》もそれに酔って蜜を盗まれ、おかげで蜜なし蜂だ。

アントニー　そのうえ針なし蜂にならなかったかな？

ブルータス　おお、まさにそのとおり、おまけにみんな音なし蜂さ。きみに羽まで捥《も》がれて、ぶうんとも言えぬ始末だ、アントニー、みごとなものだな、刺すまえに嚇《おど》して動けなくしてしまう手際《てぎわ》ときては。

アントニー　大した悪党だな、きみらはそれさえしなかったのだ、あの忌わしき刃がたがいにかちあうほどの滅多打ちをシーザーの脇腹《わきばら》に浴びせかけたとき。ただきみらは猿《さる》のように白い歯をのぞかせ、犬のように尻尾を振り、奴隷のように額《ぬか》ずいて、シーザーの足に口づけする、その隙《すき》をねらって、畜生のキャスカが、野良犬《のらいぬ》よろしく、うしろからシーザーの首筋に一撃をくれたのだ。ええい、おべっか使いだ、きみらは！

キャシアス　なに、おべっか使い！　見ろ、ブルータス、自分に礼を言うがいい。今になってこんな憎まれ口を聞かされることはなかったのだ、あのときこのキャシアスの言葉を採りあげてさえいたなら。

オクテイヴィアス もういい、本題にはいれ。口先だけの議論でこの汗だ、いよいよ勝ち敗けを決める段ともなれば、真赤な滴が流れよう。見ろ、おれは剣を抜くぞ、暗殺者どもの胸をねらうこの剣がふたたび鞘《さや》に納るのはいつの日か？ いや、納るものか、あのシーザーの三十三の傷口がことごとく復讐《ふくしゅう》されおわるか、それともさらにこの第二のシーザーまで謀反人《むほんにん》どもの刃の錆《さび》となりおわるか、その日まではな。

ブルータス シーザー、貴様が謀反人の手にかかるわけはあるまい、もっとも膝《ひざ》もとにそれを飼ってでもいれば別の話だ。

オクテイヴィアス おれもそう思う、まさかブルータスの刃にかかるために生れて来たわけでもあるまい。

ブルータス おお、たとえ貴様がシーザー一族のうち最も高潔な血を享《う》けていようと、小僧め、貴様にとってそれほど名誉ある死に方はあるまいに。

キャシアス わけのわからぬ駄々っ子《だだっこ》だ、そんな名誉はもったいない、精々遊び好きの飲んだくれを相棒にしているがいい！

アントニー 相変らずのキャシアスだな！

オクテイヴィアス さあ、アントニー、行こう！ われらの挑戦を受けてみろ、謀反人ども、その胸で男らしく。あえて今日にも雌雄を決する勇気があるなら、すぐ戦場に来い。それがないなら、いつでもその気になれるときまで待ってやる。（オクテイヴィアスとアントニーは部隊を率いて退場する）

キャシアス ええい、このうえは、風も吹け、波も起れ、船よ、のたうて！ あらしが来るぞ、あとは骰子《さいころ》の目しだいだ。

ブルータス おい、ルーシリアス！ ちょっと話がある。

ルーシリアス （前に出て）は、何か？（ブルータスとルーシリアス、離れて話す）

キャシアス メサーラ！

メサーラ （前に出て）は、御用ですか？

キャシアス メサーラ、今日はおれの誕生日だ、今日、この日にキャシアスは生れたのだ。お前の手をくれ、メサーラ。そしておれの証しをたててくれ、おれは心ならずも、あのポンペイの二の舞いをふみ、とうとうこの一戦にわれわれの自由を賭《か》けねばならぬはめに追いこまれてしまったのだ。言うまでもなかろう、おれはエピクロスを堅く信じ、その説を奉じてきた男だ、が、今となっては宗旨を変えた、前兆という奴にも、おれはいくぶん信を置きかけている。サルディスからの道すがら、先頭の旗に二羽の大鷲《おおわし》が降り、そのままそこを離れず、兵士たちの手から貪《むさぼ》るように餌を食っていた。そうしてこのフィリッピまでずっとわれわれについて来たのだが。それが今朝になってみると、二羽とも何処《どこ》かへ行ってしまい、そのかわりに烏《からす》や鳶《とんび》が頭上に群り舞

〔V-1〕14

い、われわれを見おろしているではないか、まるでこちらは瀕死《ひんし》の餌食《えじき》よろしくといったところだ。奴らの暗い影が死の天蓋《てんがい》のように蔽《おお》いかぶさり、その下を右往左往する身方の将士が、この目にはどうしても死出の旅姿としか映らなかった。

メサーラ　そんなふうにお信じなさいますな。

キャシアス　もちろんすっかり信じこんでいるわけではない、見ろ、勇気凛《りん》凛《りん》とだ、どんな難局にも、びくともせず立ち向って見せるぞ。

ブルータス　そのとおりだ、ルーシリアス。（そう言いおいてキャシアスのところへ戻る）

キャシアス　ところで、ブルータス、神こも今日はおれたちの身方、来たるべき平和の日にたがいに友として睦《むつ》みあい、末ながく余生を楽しめるよう！　だが、万事さだめなきが人の世の習いだ、起りうべき最悪の事態を考えておきたい。もしこの一戦に敗れれば、今がおたがいに話の出来る最後の時だ。そうなったら、どうする、きみは？

ブルータス　おれにはおれの生き方がある、それに基づき、かつておれはケイトーの死を非難した、みずから命を絶ったからだ、その考えは少しも変らぬ、理由はともかく、そんなことは卑劣極るやり方だ、つまりは身に降りかかるかもしれぬ災厄が恐しい。それで先手を打ってみずから寿命を絶つだけのこと。おれなら忍耐に身を固め、人の上にあって人をすべる何ものかの摂理を待つのみだ。

キャシアス　それなら、この一戦に敗れたときは、きみは甘んじて捕虜となり、ローマの街こを引きまわされるつもりなのだな？

ブルータス いや、キャシアス、違う！ そんなことを考えるな、きみもローマ人だ、いやしくもこのブルータスが、縄目の恥を受けてローマに引かれて行くなどと。この男、もう少しましな心をもっているぞ。それはさておき、今日、この日こそ、あの三月十五日に手をつけた仕事に、どうでもけりをつけなければならぬのだ。そのあとでおたがい二度と会えるかどうか、おれは知らぬ。ならば、とわの別れも取りかわしておこう。これを最後に、さらばだ、キャシアス！ もしもふたたび相見る時が来たなら、そのときは、たがいに笑顔を、もし来なければ、それならそれで、こうして別れをかわしておいてよかったということになる。

キャシアス これを最後に、さらば、ブルータス！ もしもふたたび相見る時が来たなら、きっとたがいに笑顔を、もし来なければ、確かにそうだ、こうして別れをかわしておいてよかったということになろう。

ブルータス さあ、では、先に兵を進めてくれ。ああ、人智をもって、この日の勝負の決着があらかじめ知りうるものなら！ が、心配することはない、やがてこの日も終ろうし、終れば、それもはっきりしようというものだ。おおい、さあ、出発だ！ （進軍しつつ、一同退場）

〔第五幕 第二場〕

15

15〔V-2〕

前場に同じ

ブルータスの一群が姿を消すと間もなく、遠くで撃ちあいの音が聞えてくる。それがやがて近づき、ブルータスがメサーラと駆けこんで来る。

ブルータス　飛ばせ、飛ばせ、メサーラ、大急ぎだ、この指図書《さしず》きを反対側の友軍に渡してくれ。時を移さず突撃にかからせるのだ。おれの目に狂いはない、オクテイヴィアス麾下《きか》の一隊は戦意を喪失している、どっと一押しすれば、たちまち総くずれだぞ。飛ばせ、飛ばすのだ、メサーラ、全軍一挙に山を駆け降れとな。(二人とも駆け去る)

16

〔第五幕　第三場〕

前場に同じ

遠く四方八方に戦場の激しい混乱を想《おも》わせる怒号、命令、警鐘が聞える。キャシアスが憤怒《ふんぬ》と不安にとらわれ、軍旗を手にして現れる。そのあとにティティニアスが続く。

キャシアス　おお、見ろ、ティティニアス、見るがいい、畜生どもが我さきに逃げて行く！　このおれは自分の身方を相手に敵役を買ってしまったぞ。これ、このおれの旗が敵にうしろを見せ

〔V-3〕16

て退って行くではないか、おれはその臆病者《おくびょうもの》を叩《たた》き斬《き》り、旗を捥《も》ぎとって来たのだ。

ティティニアス おお、キャシアス、ブルータスの命令が早すぎたのです。オクテイヴィアスにたいして多少優勢をかちえたものの、ためにいい気になりすぎたのだ。部下の連中がてんでに分捕《ぶんど》りなど始めたので、その間にこちらはすっかりアントニーの部隊に包囲されてしまいました。

ピンダラス、急いで駆けこんで来る。

ピンダラス 早くお逃げを、旦那様、こんなところにぐずぐずしていらしてはなりませぬ。マーク・アントニーがもうすでに身方の陣地を。お逃げになって、このうえは、キャシアス様、どこまでも逃げのびられるだけ、一刻も早く。

キャシアスは軍旗を地面に突き立てる。

キャシアス この丘なら大丈夫だ。おい、見ろ、ティティニアス、あれは身方の陣地か、それ、火の手があがっている?

ティティニアス は、確かに。

キャシアス ティティニアス、おれを友達と思うなら、おれの馬に一鞭《ひとむち》くれ、拍車で腹の皮が破れてもいいから、大急ぎで向う側まで行って確めて来てくれ。おれは安心したいのだ、あの部隊が味方か敵か知りたいのだ。

ティティニアス　は、すぐまた舞いもどってまいります、瞬《またた》く間もあらせず。（去る）

キャシアス　おい、ピンダラス、その丘をもう少し上に登ってみてくれ。昔からおれは目が悪いのだ。ティティニアスを見うしなうな、戦場のことでも、何か気がついたことがあったら知らせるのだぞ。（ピンダラス、命に従う）今日だった、おれがこの世の大気を始めて吸ったのは！　時はようやくその輪を一巡りしおえたらしい、そうだ、おれはここから始めて、それ、こうして同じところで終るのだ、おれの一生はすでにその回路を駆け抜けてしまったのだ。おい、どうした、何か？

ピンダラス　（上の方で）大変です、旦那様！

キャシアス　何かあったのか？

ピンダラス　（上の方で）ティティニアスが敵に取りかこまれてしまいました、それを騎兵たちがまっしぐらに追いこんで、いえ、こちらも懸命に駆けております。ああ、もうすぐ追いつく。とうとう、ティティニアスが！　あ、敵が馬を降りる。こちらも降りました。捕ってしまった。（遠方で歓声があがる）それ、あれを！　歓声をあげております。

キャシアス　降りて来い、もう見るな。ああ、なんという卑怯者《ひきょうもの》だ、おれは、こうして生きながらえて、親友がおのれの目の前で生捕られるのを黙って見ているとは！

ピンダラスが降りて来る。

キャシアス　ここへ来い。パルティアでおれはお前を虜《とりこ》にした。そのとき、お前に誓わせたな、命を助けてやるかわりに、おれがしろと命じることはなんでも、きっとやってのけると。さあ、今、その誓いを果すがいい！　今、この場でお前を自由にしてやる、この剣をとれ、シーザーの腸《はらわた》を刺し貫いたこの剣で、おれの胸を突いてこい。返事は要《い》らぬ、いいか、この柄を握るのだ、そうしておれが顔を蔽《おお》ったら、それ、こうして、さあ、思い切って突け。（ピンダラス刺す）シーザー、貴様、みごと復讐を遂げたぞ、しかも、おのれを斃したその同じ剣で。（死ぬ）

ピンダラス　そうだ、もうおれは自由なのだ、だが、そうなりたいとは思わなかったろう、もし自分の思いどおりにふるまえたなら。おお、キャシアス！　もうこんな国はいやです、ピンダラスは、どこでもいい、ローマ人の目につかぬ遠い国へ落ちのびましょう。（逃げ去る）

ティティニアスがメサーラと共に登場。

メサーラ　結局、帳尻《ちょうじり》は合っているというものだ、ティティニアス。オクテイヴィアスはブルータス軍のため総くずれだったからな、キャシアスの部隊がアントニーにやられても、まあ、あいこというものだ。

ティティニアス　この知らせを聞けば、キャシアスも心を安んじられよう。

メサーラ　最後に別れた場所はどこだ？

ティティニアス　まったく捨てばちになってしまわれて、奴隷のピンダラスと一緒に山に。

メサーラ　あれがそうでは、それ、地面に横になっておられる？

ティティニアス　あの寝姿は生きているものとも思われぬ。ああ、なんということを！

メサーラ　違うか？

ティティニアス　違うとも、これがあの人か、メサーラ。キャシアスはもういないのだ。おお、あの落日が茜色《あかねいろ》の光に身を沈め、暗い夜の奈落に降りて行くように、キャシアスもその紅の血のなかに輝しい昼を埋めてしまった、ローマの日が沈んでしまったのだ！　おれたちのうえにも、一日はもう暮れてしまった、雲も、露も、禍《わざわい》も、なんでも来るがいい、おれたちにとっても、もう万事は終ったのだ！　おれの吉報が信じられず、とうとうこんなことを。

メサーラ　そう、それが吉報と信じられず、こんなことをしてしまったのだ。ああ、憎むべきは運命のいたずら、いわば捨てばちの落し子、なぜ貴様は信じやすい人の心につけこんで、在りもしないものを在るかのように見せかけるのだ？　ああ、とんだいたずらっ子だ、貴様はわけなく人の胎《はら》に宿るくせに、いざとなると、決してめでたくは生れない、それどころか貴様を孕《はら》んだ親の命を奪ってしまうのだ！

ティティニアス　おい、ピンダラス！　どこへ行った、ピンダラス？

メサーラ　やつを探してくれ、ティティニアス、その間におれはブルータスに会って来る、この知らせをもって　あの人の耳を突き刺すのだ。「突き刺す」と言ってもよかろう、そうではないか、毒を塗った鋭い剣や投槍《なげやり》も、ブルータスの耳には結構いい客だ、このみじめな有様を知らされるよりはな。

ティティニアス 一刻も早く、メサーラ、その間におれはピンダラスを探しておこう。（メサーラ退場）なぜ私を使いになどお出しになったのだ、キャシアス？ あれがお解りにならなかったのか？ 私が出会ったのは身方の勇士たち、連中は私の額にこの勝利の花環《はなわ》を飾り、それをあなたに捧《ささ》げてくれと言ったのに？ あの歓声をお聞きにならなかったのか？ ああ、あなたは何もかも誤解されたのだ！ それを言っても始らぬ、さあ、これをお受けください、この花環をあなたの額に。あなたの友ブルータスの命令です、それをあなたに捧げろと。こうして私は命令どおりに。ブルータス、さあ、早くここへ。その目で見ていただきたい、私がケイアス・キャシアスをどんなに尊敬していたかを。神々のお許しを。これこそローマ人の道なのだ。さあ、キャシアスの剣よ、ティティニアスの心臓を知れ。（みずから死ぬ）

短い間。戦場の騒音が消え、やがてメサーラを先頭に、ブルータス、小ケイトー、ルーシリアス、レイビオー、フレイヴィアス、その他が登場。

ブルータス どこだ、メサーラ、亡骸《なきがら》はどこにある？

メサーラ それ、あそこに、ティティニアスが歎いているのが見えます。

ブルータス ティティニアスの顔が仰向きになっている。

ケイトー やられている。

ブルータス　おお、ジュリアス・シーザー、貴様の勢威はまだ地に落ちぬのか！　その魂は地上を歩き廻り、おれたちを唆《そそのか》して、おのが剣でおのが臓腑《ぞうふ》をかきむしらせる。〔V-4〕17

ケイトー　さすがだな、ティティニアス！　それ、このとおりキャシアスの亡骸に花環を飾っているではないか！

ブルータス　ほかに二人とあろうか、このようなローマ人が？　最後のローマ人だった、冥福《めいふく》を祈るぞ！　ローマは今後二度ときみのような男を生みはしまい。みんな、解ってくれよう、おれはこの死者にもっと涙を注ぎたいのだ、これでは足りぬ。待ってくれ、キャシアス、その時が来るまで待ってくれ。さあ、何はともあれ、この亡骸をタソスに。陣中の葬儀はまずい、士気を落すばかりだ。ルーシリアス、行こう、ケイトーも。撃って出るのだ。レイビオーとフレイヴィアスはすぐ兵を進めろ。もう三時だ、わがローマ人たち、夜に入るまえ、もう一合戦だ、それに運を賭《か》けようではないか。（一同、進撃しつつ退場。兵たちが死骸《しがい》を運び去る）

17

〔第五幕　第四場〕

前場に同じ

ふたたび戦闘が始り、撃ち合う音が近づいて来る。やがてブルータス、メサーラ、小ケイトー、ルーシリアス、その他の身方の将士が敵に押されて、戦いながら戻って来る。

ブルータス まだ大丈夫だぞ、みんな！ ええい、まだ頭をさげてはならぬ！ (反撃しつつ退場。メサーラたちがそのあとに随《したが》う)

ケイトー そんな臆病者はどこにいる？ おれに続くものは いないか？ 戦場の隅《すみずみ》々までおれの名を聞かせてやるぞ。マーカス・ケイトーの息子だ、聞け！ 暴君どもの敵、わが祖国の身方、マーカス・ケイトーの息子はおれだ、おれだぞ！

ルーシリアス (そばに駆け寄り) おれがブルータスだ、マーカス・ブルータスだ、おれが。ブルータスだぞ、わが祖国の身方、ブルータスはこのおれだ！ (ブルータスを追いかけた敵が戻って来て、二人に襲いかかり、小ケイトーは殺される) おお、ケイトー、やられたのか？ けなげな若武者だった、ティティニアスに劣らぬみごとな最期、あのケイトーの子にふさわしく、栄《は》えある名を残すであろう。

ルーシリアスはさらに二人の敵兵と渡りあい、ついにおさえつけられる。

第一の兵士 さあ、手を挙げろ、それとも殺されたいか。

ルーシリアス 殺してくれるなら、手を挙げよう。これなら造作あるまい、貴様らにも、すぐ殺せるだろう。さあ、ブルータスを殺せ、大いに手柄にするがいい。

第一の兵士 それは出来ぬ、すばらしい捕虜だ。

第二の兵士　退《ど》け、みんな退け！　アントニーに知らせてくれ、ブルータスを捕えたぞ。

第一の兵士　おれが報告する。おお、見えたぞ。

アントニーが登場。

第一の兵士　ブルータスを捕えました、ブルータスを。

アントニー　どこにいる？

ルーシリアス　つかまるものか、アントニー、ブルータスはつかまりはせぬぞ。よく聴け、敵の手に生きながら捕えられるようなブルータスか。神々の御手がそのような屈辱からあの方をお護《まも》りくださるように！　いつか出会うこともあろう、そのとき、あの男は生きているか死んでいるか、それは知らぬ、が、ブルータスはブルータスらしく貴様の前に姿を現すだろう、いかにもあの男らしくな。

アントニー　こいつはブルータスではない。いや、よい、いずれ劣らぬ獲物であろう。この男を大事に扱え、出来るだけのことをしてやれ。敵よりは身方にほしい男だ。さあ、みんな、行け、ブルータスの生死を確めて来い。オクテイヴィアスの陣地にいるから、報告を頼むぞ、逐一、戦況の変化をな。（一同退場。戦場の騒音、ふたたび静まる）

〔第五幕　第五場〕

18

前場に同じ

ブルータスに随《したが》ってダーディニアス、クライタス、ストレイトー、ヴォラムニアスが登場。

ブルータス　生き残りはこれだけか、さあ、この岩で休むがいい。

クライタス　スタティリアスが合図の炬火《たいまつ》を振るのは見えましたが、そのままついに戻りませんでした。捕えられたか、それとも殺されたか、どちらかです。

ブルータス　そこへ坐れ、クライタス。殺すと言ったな、それだ、いま大はやりだぞ。耳を貸せ、クライタス。(囁《ささや》く)

クライタス　え、私が？　いやだ、そんなことは出来ませぬ。

ブルータス　それなら黙っていてくれ、何も言うな。

クライタス　それくらいなら自分を刺します。

ブルータス　おい、ダーディニアス、耳を。(囁く)

ダーディニアス　この私にそのようなことが出来るとでも？

クライタス　おお、ダーディニアス！

ダーディニアス　クライタス！

クライタス　お前に何をしろと、どんな邪《よこしま》なことを？

ダーディニアス　殺してくれとおっしゃるのだ、クライタス。見ろ、何か物思いに沈んでおられる。

クライタス　あの気高い器も、今は悲しみに満ち溢《あふ》れ、それ、あのように眼のふちからこぼれ落ちる。

ブルータス　ここへ来い、ヴォラムニアス、おれの話を聴いてくれ。

ヴォラムニアス　話とおっしゃるのは？

ブルータス　いや、なんということもないが、ヴォラムニアス。おれにシーザーの亡霊が現れたのだ、それが二度、夜中にな。一度はサルディスで、二度めはゆうべ、このフィリッピでだ。どうやら、おれも死期が近づいたらしい。

ヴォラムニアス　そのようなことが。

ブルータス　いや、確かにそうだ、ヴォラムニアス。お前にも見えるだろう、ヴォラムニアス、今の世がどう動いているか。敵はもうおれたちを穴のふちまで追いつめてしまったのだ。（遠くで戦いの音）こうなっては、自分で跳《と》びこむほうがまだしも男らしい、手を拱《こまぬ》いて追い落されるのを待つのは恥辱だ。なあ、ヴォラムニアス、覚えていよう、二人で仲よく学校に通ったころのことを。その昔の友達甲斐《がい》に、頼む、このおれの剣の柄を持っていてくれ、おれは駆けよりざま、そのうえに突伏す。

ヴォラムニアス　そのようなことは友達に出来る仕事ではありませぬ。（ふたたび物音が近づく）

クライタス　どうかお逃げになってくださいまし、一刻の猶予もなりませぬ。

ブルータス　もうお前ともお別れだな、お前も、それからお前も、ヴォラムニアス。（一人一人の手を取る）ストレイトー、お前はずっと眠っていたな、お前とももうお別れだ、ストレイトー。みなに言っておきたい、おれの心は喜びで一杯だ、生きて今日まで、おれはついぞ一人の裏切者にも出会わなかったのだ。この敗北の日にも、破れたおれの栄誉は敵のそれよりはるかに大きい。オクテイヴィアスもマーク・アントニーも、その忌わしい勝利によって何を得られるというのか。もういい、さ、お別れだ、早く。これでもうブルータスは生涯の歴史をすべて語り尽してしまったようだ。夜の闇《やみ》がおれの目のうえに蔽《おお》いかぶさり、おれの骨は休息を求めている、思えば、この現在の一瞬に辿《たど》りつこうとして無我夢中うごきまわってきたおれだったからな。（奥で激しく警鐘の乱打、それとともに「逃げろ」の叫び声が続けさまに聞えてくる）

クライタス　お逃げなさいまし、早くお逃げに。

ブルータス　行け！　あとから行く。（クライタス、ダーデイニアス、ヴォラムニアス、逃げる）頼む、ストレイトー、お前は最後まで主人のそばにいてくれ。お前は立派な男だ。今日までの半生をおれも知っているが、それこそ名誉ある一生と言ってもよい。さあ、おれの剣を持て、向うを向いていろ、いいか、駆けよりざま突伏すぞ。大丈夫だな、ストレイトー？

ストレイトー　そのまえにお手を。お別れでございます。

ブルータス　達者でな、ストレイトー。（駆けよって剣に突伏す）シーザー、今こそ心を安んずるがいい。おれは、その胸を刺しはしなかったぞ、今ほど明るい心をもって。（死ぬ）

アントニーの一隊が、残敵ブルータス軍を追いながらはいって来る。やがて引揚げを促すドラムの響き。しばらくしてオクテイヴィアスとアントニーが登場。メサーラとルーシリアスは捕虜となっている。

オクテイヴィアス　何者だ、あれは？

メサーラ　主人ブルータスの従僕です。ストレイトー、お前の主人はどこにいる？

ストレイトー　その縄の届かぬところへ、メサーラ。征服者も今となっては火でもかけるほかに、どうしようもございますまい。ブルータスに勝ちえたものは一人ブルータスだけでございます。何人《なんぴと》もその死を手柄にすることは出来ませぬ。

ルーシリアス　それでこそブルータスだ。礼を言うぞ、ブルータス、あなたはルーシリアスの言葉を証《あか》ししてくれたのだ。

オクテイヴィアス　ブルータスに仕えていたものはすべて、おれに仕えてもらいたい。お前はどうだ、おれの下で余生を送る気はないか？

ストレイトー　はい、メサーラのお口ぞえさえありましたら。

オクテイヴィアス　そうしてくれ、メサーラ。

メサーラ　御最期はどんなだったのだ、ストレイトー？

ストレイトー 私が剣を持ちました、御主人は駆けよりざま、そのうえに突伏されたのでございます。

メサーラ オクテイヴィアス、それならどうぞこの者をお使いください、主人に最後の奉公をした男として。

アントニー これこそ、あの仲間のうち最も高潔な人物だったのだ。暗殺者どもは、この男のほかすべて、ただ大シーザーにたいする憎しみから事を起したに過ぎぬ。ただこの男だけだ、純粋な正義の精神にかられ、万民の公益を願って一味に加ったのは。その一生は和して従い、円満具足、中庸の人柄は、大自然もそのために立って、今も憚《はばか》ることなく全世界に誇示しうるであろう、「これこそは人間だった！」と。

オクテイヴィアス その徳にしたがって遇しよう、出来うるかぎり礼を厚くし、葬儀万端、手落ちのないように。今夜はおれのテントに遺骸《いがい》を安置する、もちろん、武人にふさわしく十分な心くばりをしよう、このうえは戦場に休戦の合図を。われわれも行こう、そうして、このめでたい日の栄光を共ども分ちあいたいものだ。

一同、行進しつつ退場。数人の兵がブルータスの遺骸をかつぐ。

解　題

一

『ジュリアス・シーザー』初演の時期はほぼ確実に解《わか》っている。ジョン・ウィーヴァーという人が一六〇一年に『殉教の鑑《かがみ》』という詩を出版しているが、その中に明かな言及がある。

　衆人はブルータスの言葉に聴入《ききい》り
シーザーの野心を知りてどよめきぬ
時に雄弁なるマーク・アントニー立ち
　故人の徳を称《たた》う、ブルータスに罪なきや

このウィーヴァーの詩は一六〇一年の刊行であるが、その献辞の中に「二年ばかり前の作」とあるので、この詩人が『ジュリアス・シーザー』を観たのは一五九九年ということになる。一方、スイス人のトマス・プラターの旅行記なるものがあって、その一五九九年の箇処に次のごとき記述がある。

　九月二十一日、昼食後、およそ二時過ぎ、友人数名と共に河を渡り、藁《わら》ぶきの小屋にて、史上最初の皇帝ユリウス・カイザーの悲劇を観る。演ずる者十五名ばかり、なかなか巧みなり。

この芝居がシェイクスピアの『ジュリアス・シーザー』であることは、種〻の証拠からまず間違いないらしい。そこに出てくる「藁ぶきの小屋」というのは、シェイクスピアの劇壇によって一五九九年の一月か二月に工事を始められたもので、七箇月程で完成したといわれる「地球座」のことである。プラターが観たのが九月であるから、『ジュリアス・シーザー』はその「こけらおとし」に上演されたのであろう。シェイクスピアはおそらくそれを目的としてこの作品を書きおろしたのに違いないとウィルソンは言っている。

『ジュリアス・シーザー』には作者生前の四折本は無い。一六二三年の第一・二折本におけるそれが最初の出版である。しかも、それはほとんどそのまま採用しうるほど瑾《きず》の少い善本である。学者のうちには、シェイクスピア自身の原稿から直接に印刷されたのであろうと言うものがある。だが、ウィルソンはそれに反対し、後見用台本のおそらく写しを印刷に附したものと推定している。もちろん、その写しというのは、第一・二折本刊行を目的として行われたものである。その担当者が他の場合に比べて注意ぶかく有能であったことはウィルソンも認めているが、なおそこには写し手の、のみならず、それ以前の、おそらくは劇場後見役の、手が加っていることは明かであるとし、幾つかの証拠を挙げている。

第一に、舞台裏の音響効果を示すト書で、同じものが二度重って出てくることがしばしばある。たとえば第二幕第一場の最後は、第一・二折本では、リゲーリアスに向って言うブルータスのせりふ「さあ、それなら来てくれ」の後に「雷鳴、退場」とあるが、これは続く第二場の冒頭のト書「雷鳴」と重複する。第一場の終りから第二場の始めにかけて雷鳴を「ブリッジ」として用いるなどという手法は当時はなかった。ウィルソンによれば、第一場の終りのそれはシェイクスピアの与《あずか》り知らぬことであって、劇場の後見役が自分にあてがわれた台本の欄外余白に、効果の心覚えとして書きこんだものであろうという。その場所が少しずれていたのを、写し手が間違えて第一場の終りに挿入《そうにゅう》してしまったのだというのである。

また第一・二折本の第五幕第二場では、冒頭のブルータスの出の前に「警鐘、ブルータスとメサーラ登場」とあるのに、すぐその後の彼のせりふ「飛ばせ、飛ばせ、メサーラ、大急ぎだ、この指図《きしず》書きを反対側の友軍に渡してくれ」の次の行間にふたたび「激しい警鐘」と入れてある。これも後見役の欄外書きこみであろうという。同様の例が他に幾つかある。いずれも警鐘、太鼓などの効果音の場合である。

ト書に関して、もう一つの重要な指摘がある。第四幕第二場の幕開きであるが、それが第一・二折本では「太鼓の音。ブルータス、ルーシリアス、その麾下《きか》の一隊が登場し、ティティニアス、ピンダラスがそれを迎える」とある。これはおかしい。なぜならこの場はブルータスの天幕前であって、彼は太鼓の音により自分の部下の到着を知り、天幕から出て来て、隊長のルーシリアスにキャシアスのことを訊《たず》ねているのだ。また、ピンダラスはキャシアスの奴隷で、ルーシリアスと一緒にキャシアスの陣地から来たところだ。さらに、キャシアスの部下であるティティニアスは暫《しばら》く後でキャシアスと一緒に登場することになっていたのに相違なく、右のト書のとおりなら、前半の沈黙は不自然であるし、後半も最後まで話しかけられぬのもおかしい。ウィルソンはこういう矛盾が作者自身の手ぬかりによるものとは考えられないと言う。

第二に、『ジュリアス・シーザー』はシェイクスピアの作品中、批評に牽制《けんせい》されて手を入れた唯一の例であり、それも確かに作者の死後、おそらく一六二三年の第一・二折本刊行のために行われたものらしい。最も顕著な例は第三幕第一場のシーザーのせりふである。殺される少し前だが、そこにはこうある。

いいか、シーザーは不当に人を遇しはしない、同時に、謂《い》われなくして人の言葉に耳は貸さぬ。

第一・二折本以来、どの版でもそうなっている。ウィルソンの校訂でも、それに随《したが》った私の訳でも、そのままになっている。しかし、シェイクスピアはそうは書かなかったらしい。そのことは当時シェイクスピアを尊敬しながらも、絶えず目の敵《かたき》にしていたオックスフォード出の劇作家ベン・ジョンソンの揶揄《やゆ》によって推測される。彼は批評集『発見』の中でこう述べている。

彼は（シェイクスピアは）始終その種の失敗を犯したが、その度に笑いの渦《うず》を巻き起した。たとえば、シーザーに言わせているせりふがその一例だが、相手方の言葉「シーザー、そのお裁《さば》きは不当にございます」にたいして、シーザーはこう答えている、「シーザーは正当な謂われなくして不当に人を遇した覚えはない」と、万事がこの調子である。滑稽《こっけい》と言うほかはない。

（シェイクスピアにはそうあったと言われる部分は、右の日本語訳では、劇場で「笑いの渦を巻き起す」ほど「滑稽」とは言いがたいかもしれぬ。なぜなら、「正当な謂われなくして不当に」までを一群として一気に喋《しゃべ》れば、「正当な謂われなくして」と「不当に」とが同格の副詞的役割を果して、共に「人を遇した」を修飾しうるからである。が、もし「正当な謂われなくして」で切り、「不当に人を遇した覚えはない」を一群として喋ると、「正当な謂われ」さえあれば「不当に人を遇した」ことがあるということになり、さらに「不当に人を遇した」以上、その動機に「正当な謂われ」があると言うのは論理的に矛盾してくる。原文の英語では、その感じがもっと強い。(Cæsar did never wrong but with just cause.)）

この『発見』の刊行はジョンソン死後の一六四〇年であるから、一六二三年の第一・二折本にそれが直接の影響を与えることはありえない。しかし、ジョンソンは生前一六二六年頃すでにこの『発見』を一冊本として整理していたこと、また同じく一六二六年に国王劇団によって上演された自作『話の種』の序劇で『ジュリアス・シーザー』を肴《さかな》にしていることから、右引用箇処にたいするジョンソンの悪口は劇壇内部に拡《ひろが》っていたと考えられる。第一・二折本の『ジュリアス・シーザー』担当者はおそらくそれを聞き知っていて、現在の形にみずから改めたのか、あるいはジョンソンに頼んで直してもらったのか、いずれかであろうというのがウィルソンの説である。もちろん、そのことから直ちに印刷用台本が作者の自筆原稿でなかったとは断じえないが、少くとも第一・二折本が自筆原稿そのままではないことだけは確かである。

第三に、これは誰しもおかしいと思うことであるが、たとえば第四幕第三場において、ブルータスはキャシアスと口論したのち、妻のポーシャの死をみずから知らせているのに、その暫く後でメサーラの口からふたたびその訃報《ふほう》を受けている。このままでもさしつかえないとも考えられるが、元来はそのいずれか一方しかなかったものを、誰かが、いや、おそらく作者自身が、完成後の、いわゆる「後思案」によって別様に書き改めたのに、それが新旧両生きのまま残ってしまったのであろう。そう考える学者が多い。もしそうだとすれば、後者が旧稿、前者が新稿によるものではあるまいか。

同じく「後思案」と見なされるのが、第二幕第二場におけるパブリアスの登場である。これは始めキャシアスであったのを誰かが何かの都合でパブリアスに変えたのではないか。なぜなら、その前の第一場で、シーザー暗殺の首謀者たちがブルータス邸に集ったときディーシアスがシーザーを「みごと議事堂に連れだしてみせよう」と言ったのにたいして、キャシアスは「それより、みんなで呼びだしに行ったほうがいい」と応じ、同行を主張しているからだ。その第一場の連中がことごとく第二場のシーザー邸に押しかけて来ているのに、キャシアスだけが姿を現さず、その代りに前場にはいなかったパブリアスが出ているのは確かに不自然である。それならそれだけの理由がどこかに語られていなければならない。が、どこにもそれはない。

その謎《なぞ》を解く最も有力な説は、キャシアスとリゲーリアスとが同じ役者によって演ぜられたという一人二役説である。そう考えれば、すべてがもっともらしくなる。前の第一場で、首謀者たちがブルータス邸を辞去した後、リゲーリアスが病中を押して訪ねて来る。しかも、その間にはブルータスとポーシャとの遣取《やりと》りがかなり長く続いているので、キャシアス役者が顔を造りなおしてリゲーリアスに早変りするだけの余裕は十分にあるし、頭に布を巻いているので同一人物でもさほど気にならなかったであろう。そう言われれば、なるほど次の第二場でも、キャシアス役者が前場の終りのままリゲーリアスとして登場して来たものとして納得できる。事実、第一・二折本のト書はそこにリゲーリアスの登場を指示している。のみならず、すぐその後でシーザーはリゲーリアスに呼びかけ、「きみを敵あつかいした覚えはない、むしろ、きみをそんなに痩《や》せさせた病いの方がよほど手ごわいぞ」と言っている。そう言われれば、誰しも第一幕第二場の同じシーザーの言葉を思出すであろう。彼はキャシアスを評して「痩せてひもじそうな様子」の男と言っていた。

おそらく最初の台本ではパブリアスは登場せず、それがキャシアスになっていたのであろう。シーザーへの最初の挨拶「お早うございます」はキャシアスが言い、それにたいしてシーザーの「よく来てくれた、パブリアス」の「パブリアス」は「キャシアス」だったのに違いない。なにしろ一つの劇団でこれだけの人数を賄《まかな》うのは容易でなかったろうし、ことにそれが痩せた男という条件づきなので、なおさらであったろう。

コールリッジはキャスカの性格に摑《つか》みどころのないのも、その役者不足のためで、暗殺共謀者の第何人目かの役をキャスカに押しかぶせてしまったのであろうと言っている。確かに第一幕第二場後半に始めて登場するやや狷介《けんかい》な熱血漢キャスカと、次の第三場でシセローを相手に前兆や迷信について恐しげに語るキャスカと、またブルータスやキャシアスの口を通じて知りうるキャスカと、それぞれから一人の明確な人物像を思い浮べるのがむずかしい。コールリッジの言うように、手不足のため二つの役をキャスカに演ぜしめ、キャスカの頭書の下に「一人二役」ならぬ「一役二役」の無理を通しているのであろうか。ウィルソンは第一幕第二場の、ことにその終りの方のキャスカは、あるいはシェイクスピアが完成後みずから手を入れた修正部分ではないかと言っている。だが、私にはキャスカの性格が矛盾しているとは思われない。

二

シェイクスピアは『ジュリアス・シーザー』の材料を、そのほとんどすべてと言ってよいほどプルタークの『伝記』から採っている。処女作『ヘンリー六世』以来、彼の史劇はその材料をすべて英国史に仰いできた。シェイクスピアの作品について普通「史劇」と言えば、それらのみを差す。『ヘンリー六世』『リチャード三世』『リチャード二世』『ジョン王』『ヘンリー四世』そして最後に『ヘンリー五世』が来る。『ヘンリー五世』は『ジュリアス・シーザー』の直前に書かれたものである。したがって、シェイクスピアは『ヘンリー五世』をもって英国史劇に別れを告げ、始めて古代ローマに材料さがしに赴《おもむ》き、その手始めにこの『ジュリアス・シーザー』を書いたわけである。

シェイクスピアがプルタークを読んだのはもちろんギリシア語の原文によってではない。モンテーニュが座右の書として親しんだのはジャック・アミヨーの仏訳版であるが、さらにその英訳がトーマス・ノースによって行われ、一五七九年に刊行された。シェイクスピアは専《もっぱ》らそれによってプルタークを読んでいたのである。エリオットの言うとおり、「シェイクスピアがそれによって身につけた歴史は、今日おおよその人々が大英博物館全体から得るものより遙《はる》かに本質的なものであった」に違いない。

『ジュリアス・シーザー』の後にもプルタークに拠った劇をシェイクスピアは二つ書いている。『アントニーとクレオパトラ』と『コリオレイナス』とで、いずれも傑作である。『アセンズのタイモン』でも多少はそれを利用しているが、大したことはない。また前二者にしても、『ジュリアス・シーザー』におけるほど真正面からその史材に取組んではいない。シェイクスピアはこの始めて手掛けるローマ史劇において、それこそ骨までしゃぶるように、プルタークから奪っているのである。

それほど自分を棄てて材料に身を任せながら、しかも彼独自の人間劇と人物像とを造りあげたシェイクスピアの天才を知るうえにも、また散文と劇との対比を感得するうえにも、両者を比べて読むことをすすめる。さいわい河野与一氏の名訳『プルターク英雄伝』（全十二冊・岩波文庫）が出ている。そのうち『ジュリアス・シーザー』に関係のあるのは「カエサル」篇（第九冊）及び

「ブルートゥス」篇・「アントニウス」篇（第十一冊）である。プルタークそれ自体の面白味はそれらによって、味わってもらうことにして、ここでは専ら『ジュリアス・シーザー』の展開に沿い、各場ごとにプルタークとの照応を明かにしておく。それだけでも相当な分量になると思うが、河野氏の御好意により左のとおり引用を許していただいた。

1　（第一幕第一場）

カエサル　五六　これはカエサルが行なった最後の戦争となった。この戦争の後で挙げた凱旋式《がいせんしき》は他に例がない程ローマの人々を傷《いた》ませた。他国の将軍や蛮族の王を打破ったのではなく、数々の不運な目に会ったローマ最大の人物（訳注 ポンペーイウス）の息子たちと家族を根こそぎ滅ぼした人に、祖国の不運の中で凱旋式を挙げさせるのは感心できないからである。

ブルートゥス　九　これらの原因になったのはカエサルの阿諛者《あゆしゃ》たちで、いろいろと嫉妬《しっと》を招くような尊敬の徴《しるし》をカエサルのために思いついた上、殊《こと》にカエサルの立像に冠を載せて、民衆がディクタートルという代りに王と呼ばせようとしたのである。

カエサル　六一　これらの反感に付け加えて、トリブーヌス　プレービス（訳注 護民官）に対するカエサルの侮辱事件が起った。その頃ルペルカーリアの祭（訳注 カピトーリウムの丘の西隅に当る洞穴ルペルカルに祀ったファウヌスの神の祭。二月十五日に行われた）が行われていたが、これについては多くの学者が昔行われた羊飼の祭だと記し、アルカディアーのリュカイアの祭と何か因縁がある。……ところでその後カエサルの立像に王の冠を戴いているのが幾つか見られたので、トリブーヌス　プレービスの二人フラーウィウスとマリュルルスとはそこへ行って冠を取去り、最初にカエサルを王と呼んで挨拶した人々を見つけ出して牢獄《ろうごく》に引張って行った。すると民衆は拍手しながらその後に従い二人をブルートゥスたちと呼んだのは、ブルートゥス（訳注 ルーキウス ユーニウス ブルートゥス。昔ローマの王政を顚覆して共和政を創めた人。前五〇九年最初のコーンスルになったと伝えられている）が王の継承を廃棄して権力を独裁者から元老院及び民会に移した人だからである。これを聞いたカエサルは憤激してマリュルルスたちの官職を奪い、二人に対する弾劾に際して民衆にも侮辱を加え、二人を度々ブルートゥス（訳注 ラテン語で「愚鈍」の意）及びキューメー人（訳注 キューメーは小アジア西岸中部の町。その住民は愚鈍だとされていた）と罵《のの》った。

2　（第一幕第二場）

カエサル　六一　その際身分のある若者や高官が大勢裸で町中を駆け回り、出会う人々を毛皮の片で笑い戯れながら打つのである。上流の婦人たちも大勢わざとそれに向って行って学校の子供のように両手を出して打たれると安産が恵まれ、子供のないものは懐妊すると信じていた。この祭をカエサルは演壇の上にある黄金の椅子に坐り凱旋式の衣裳を着けて見物していた。アントーニウスもこの祭の行列に加わって走っていた一人で、この時コーンスルになっていた。

カエサル　六三　その三月の、ローマの人々がイードゥースと呼ぶ日（訳注 三月五月七月十月の十五日、他の月の十三日）に大きな危険を用心するようにと或る予言者がカエサルに前もって言ったが、その日が来たのでカエサルは元老院へ出掛ける途中その予言者に挨拶して冗談のように『三月のイードゥースの日が来たね』と言うと、その人は静かにカエサルに向って『いかにも来ました。しかしまだ済みません』と言った。

ブルートゥス　一　ここに伝記を書くブルートゥスは、哲学による教養を性格に及ぼし、重々しく柔和な天性を実践的な熱意をもって振い起し、徳性に対して最も調和を得ているように思われたので……

ブルートゥス　六　それは、ブルートゥスの荘重な態度と、恩恵を求める人の言葉を容易に聴《き》かず原則と推理に基づいて立派な事を行う点とが、何事に向っても力強い遂行的な勢いを示したからである。不正な懇願に対しては、機嫌《きげん》を取られても耳を藉《か》さない人であった。

ブルートゥス 八　実際、ブルートゥスが暫《しばら》く我慢してカエサルの次位に甘んじ、その勢力が盛りを過ぎて数数の成功で得た名声が衰えるのを待ったならば、確実にローマの第一人者になれたものと思われる。ところが、カッシウスは怒りっぽい人間で公の利益のために独裁を憎むというよりも私の怨《うらみ》からカエサルを憎み、ブルートゥスを煽動《せんどう》して承服させた。つまり、ブルートゥスは支配そのものに憤慨しカッシウスは支配者を憎悪《ぞうお》したのである。

ブルートゥス 一〇　カッシウスが友人たちをカエサルに対する陰謀に巻き込もうと試みた時、友人たちはブルートゥスが指導者になるなら賛成すると言った。その計画が必要とするのは暴力や勇気ではなく、この人のようにその首唱によってそこに正義があると立証することになる人物の名声だと考えて、さもなければ、行動に際して勇気が欠けるし行動の後にも疑念を招くし、もし言い分が立派なものならブルートゥスがその計画を拒むはずはないと言われるからであった。こういうふうに考えたので、カッシウスは前の不和（訳注　本篇七節）以来初めて自分の方からブルートゥスを訪ねてこれと和解し、その好意を取戻してから、三月の朔日《ついたち》にカエサルの友人たちがこれを王にするための演説をすると聞いているが、この日に元老院へ出る決心かどうかと質《ただ》した。ブルートゥスが出席しないと言うと、カッシウスは『我々が呼び出されたら、どうする』と言ったので、ブルートゥスは『私の任務はもとより沈黙しないこと、祖国のために闘うこと、自由のために死ぬことだ』と言った。するとカッシウスは興奮して、『君に先に死なせてローマ人の誰が我慢していられる。ブルートゥス、君には自分自身がわからないのか。それとも、君の演壇に文句を書きつけたのが織物工や小商人で、一流の有力者がやったのではないと思っているのか。他のプラエトルからは施物や催物や格闘の競技を要求しているが、君からは先祖に対する責務として独裁政の顚覆《てんぷく》を要求しているのだから、君がその要望と期待に副《そ》うものとわかれば、みんなは君のために喜んでどんな目にも会うぞ』と言った。そうしてブルートゥスを抱擁して接吻《せっぷん》し、仲直りをして一緒に仲間のところへ行った。

ブルートゥス　七　さて、プラエトル（訳注　最初はコーンスルの題名であったが、後にこれとは別に裁判を掌どる三名の高官を指す）の職の中で最も品位の高いのはウルバーヌス（訳注　「都市の」という意）と呼ばれていたが、ブルートゥスかカッシウスか二人の一人がそれになるものと考えられていた。或る人の言うところでは、この二人は前からあった様々の原因によって幾らか不和になっていたが、この事のために親戚同士でありながら一層仲が悪くなったのだそうである。親戚だと言うのは、ブルートゥスの妹のユーニアをカッシウスが娶《めと》ったからである。しかし別の人は、この対抗がカエサルの仕業《しわざ》であって、銘々に密《ひそ》かに期待を持たせた結果こういうふうに煽動《せんどう》され刺激されて競争を始めたのだと言っている。その競争にブルートゥスは名声と徳性をもって臨み、カッシウスがパルティアーで挙げた様々な花々しい勲功に対抗した。カエサルは両方の言い分を聞き友人たちとも協議して『カッシウスの言い分が正しいけれども、ブルートゥスに首位を与えるべきだ』と言った。そこでカッシウスは別のプラエトルに任命されたが、その職を得た感謝よりも取逃がした怒りの方が強かった。

カエサル　六二　しかしカエサルもカッシウスに対して嫌疑《けんぎ》を懐《いだ》いていたので、或る時友人たちに向って『君たちにはカッシウスが何を望んでいるように見える。あれはあまり私の気に入らない、あまり蒼白《あおじろ》いから』と言った。またアントーニウスとドラーベルラ（訳注　五一節）が革新を企てているという非難がカエサルの耳に入った時、『私が恐れているのは髪の長い肥ったその二人ではなくて寧《むし》ろ蒼白い痩《や》せたあの二人だ』と言ったのは、カッシウスとブルートゥスを意味していたと言われている。

アントーニウス　一二　それに混ざって走り回っていたアントーニウスは、旧来の習慣を棄てて、冠の周《まわ》りに月桂樹の枝葉を巻いて演壇に駆けつけ、一緒に走って来る人々に持ち上げられてそれをカエサルの頭に載せ、カエサルは当然王になるべきだということを示した。カエサルはわざと困った顔をしてそれを拒むと、民衆は喜んで拍手し、アントーニウスがまた載せようとするとカエサルはまたそれを押しのけた。長い間そういう争いが続き、無理に強《し》いるアントーニウスには少数の友人が、辞退するカエサルには民衆全体が拍手喝采《かっさい》したのであるが、不思議な事に、事実上は王に治められている人民の態度に甘んじている人々が、王という名を自由の廃棄として避けていたのである。そこでカエサルは不機嫌《ふきげん》に演壇から立ち上がり、咽喉《のど》のところから上着を外《はず》して刺したいものはここを刺せと叫んだ。カエサルの立像の一つに載せてあった冠はトリブーヌス　プレービスの幾人かが引きちぎって投げ棄て、それを喜んだ民衆は拍手をもって賛成を表わしたが、カエサルはそれらの人々の官職を奪った（訳注『カエサル篇』六一節）

ブルートゥス　七　実際ブルートゥスは、欲しさえすればカエサルの友人の筆頭として最大の勢力を得ることもできたのであるが、カッシウスの一味がブルートゥスを引張ってそこから離れさせ、……友人たちがうっかりカエサルに懐柔され籠絡《ろうらく》されないように、独裁者の好意や恩恵は相手の徳性を尊重するどころか気力を挫《くじ》き抵抗を殺《そ》ぐものだと知ってそれを斥《しりぞ》けなければいけないと勧告するのに従っていた……。

3　（第一幕第三場）

カエサル　六三　しかし運命は予知されないものだというよりも避けられないものだという証拠には、この時も不思議な前兆が現われたと言われている。例えば、天に光が現われ、夜物を叩《たた》く音が方々に聞え、群れを好まない鳥がフォルムに降りて来たというような事は恐らくあれほどの変事に際して持ち出す価値はないかも知れない。しかし哲学者のストラボーンの伝えるところでは、光を放っている人間が大勢突進するのが見えたり、或る兵士の奴隷の手から盛んに炎が出て、見ている人々には焼け死ぬものと思われたのに、炎が止《や》むとその男は全く無事であったり、カエサル自身が犠牲を献《ささ》げると、その動物の心臓が見当らなかったりしたそうである。元来心臓のない動物というものはないのであるから、この前兆は恐ろしいものだと述べている。

4　（第二幕第一場）

ブルートゥス 九 ブルートゥスの方は、仲間のもののいろいろな意見や市民のいろいろな書き物によって、その計画を促され励まされたのである。例えば、王政を顚覆《てんぷく》させた先祖のブルートゥスの銅像に、『ブルートゥスが今いてくれたら』とか、『ブルートゥスが生きているといいのだが』とか書きつけられた。また、ブルートゥス自身のプラエトルの演壇にも毎日、『ブルートゥス、眠っているのか』とか『あなたは本当のブルートゥスではないぞ』とかいうような文句が一ぱい書きつけられた。（訳注『カエサル』篇六二節）

ブルートゥス 一二 それ以来、これらの人々は自分たちの信頼する知名の人々を密《ひそ》かに吟味し、計画を伝えて仲間に入れ、極く親しい人々ばかりでなく、勇気があって死を顧みない人々を選んだ。そこで、キケローについては、信頼や好意の点では第一人者であったけれども、天性果敢なところがなく、年齢からいっても老人らしい慎重な態度を取っているばかりでなく、すべての事を一々考慮して極力安全を図り、自分たちのような迅速を必要とする勇猛な鋭気を鈍らせる人と見て、これには全く隠していた。……正式な誓いを立てたわけでもなく犠牲を献《ささ》げて保証を取り交《かわ》したわけでもないが、すべてのものが互いの間に計画を進めて内密に行い最後まで協力したので、神々が予言や託宣や犠牲の前兆に示したにも拘《かかわ》らず（訳注『カエサル』篇六三節）、この計画を信ずるものはなかった。

ブルートゥス 一八 計画を論議する度《たび》に他の人々は皆、カエサルと同時にアントーニウスも殺そうという意見を出した。これこそ単独支配を図る横暴な人間で、軍隊と親しく交わり勢力を得ている上、殊《こと》に天性が不遜《ふそん》で大望を懐《いだ》き、コーンスルの位まで占めて、この頃カエサルの同僚だったからである。ところがブルートゥスは、第一に正義を主張し、第二にアントーニウスの改心を期待して、この提議に反対した。ブルートゥスはアントーニウスが天性優秀で体面を重んじ名声を欲する人間だという判断を棄てず、カエサルが除かれてしまえばアントーニウスも祖国のために自由を望み、自分たちの力によって徳性を志す方に引かれるものと考えていた。（訳注『アントーニウス』篇一三節）

ブルートゥス　二〇　その後で、カエサルの遺言とその埋葬に関する論議が始まり、アントーニウスの一派は、遺言を読み上げることと、遺骸を葬送する際に民衆を刺激しないために、覆《おお》い隠さず、敬意を失わないことを要求したので、カッシウスは激しく反対したけれども、ブルートゥスが譲歩してこれを認めたのは、二度目の失策を冒したものと考えられた。つまりブルートゥスは、アントーニウスの命を赦したことによって、誓いを共にした人々にとって強大な手剛《てごわ》い敵を拵《こしら》えたことになる。

ブルートゥス　一三　さてブルートゥスは、ローマで一流の思慮と家柄と徳性を持つ人々を味方に付け、危険を悉《ことごと》く見通していたので、外部では意図を自分の心に蔵《おさ》めて取繕っていたが、自分の家では夜の間全く別人となり、幾ら抑《おさ》えても心配のために眠られず、殊に思案に耽《ふけ》って当惑している様子は傍に臥《ね》ている妻の眼を免れず、いつになく取乱して、心に包みかねるこの解明のつかない計画を思い廻《めぐ》らしているところを見抜かれた。

ポルキアは前に述べた通りカトーの娘で、その従兄弟《いとこ》に当るブルートゥスが娶《めと》った時には処女ではなく、前の夫に死なれてまだ若かったが、ビブルスという名の小さい息子を持っていた。……ポルキアは身内思いで夫思いの人で、気位が高く悟性が豊かだったから、夫にその秘密を訊《き》こうとはせず、先ず次のようにして自分の力を試した。理髪師が爪を剪《き》るのに使う小刀を取って、召使の女たちを悉く部屋から下がらせ、自分の腿《もも》を深く斬《き》りつけたので血が沢山流れ、間もなくその傷から激しい痛みと寒けのする熱が出た。ブルートゥスが心配のあまり取乱しているのを見て、極度の痛みに堪えながらこう話し掛けた。『私はカトーの娘です。おうちに貰われたのは、何もお妾《めかけ》のように寝床や食卓を御一緒にするためではなく、喜びを共にし苦しみを共にするためです。夫としてあなたがなさる事にはすべて申し分がございませんけれども、あなたの秘密な悩みや信頼が必要な煩《わずら》い事まで御一緒に堪えられないとすれば、どうして私の心持を打明けたり感謝したりすることができましょう。女の天性は弱いもので秘密な話を保つことができないとされていることは承知しておりますが、育ちも良くて付合う人も優《すぐ》れていれば気質《きだて》がしっかりすることもあります。幸い私はカトーの娘でブルートゥスの妻です。今まではそういう事にも自信が持てずにいました。けれども今私は自分が苦痛にも負けないと悟ったのです』そう言ってブルートゥスに傷を見せて試煉《しれん》の顚末《てんまつ》を話した。ブルートゥスはすっかり驚いて両手を天の方に挙げ、神々が自分にポルキアの夫としてふさわしく計画を成功させるように祈った。そうしてこの時妻を一味に加えた。

ブルートゥス　一一　ここにガーユス　リガーリウスという人があってポンペーイウスの味方をしたために告発されたのを、カエサルは赦してやった。ところが罪を免れたことを感謝せず、自分を危険な目に会わせた支配権を怨《うら》んでカエサルに敵意を懐《いだ》き、ブルートゥスの最も親しい仲間の一人となった。病気になった時、ブルートゥスが見舞に行って『何という大事な時に病気になったのだ』と言った。すると直ちに肘《ひじ》をついて起き上がりブルートゥスの右手を握って、『あなたがあなたらしい考えになってくれれば、私の病気は癒《なお》る』と言った。

5　（第二幕第二場）

カエサル　六三　その後で、いつものように妻の傍で眠っていたが、部屋の戸と窓が一時に開いたので、その物音と射し込む月の光に驚いて目を覚ますと、深く眠っているカルプルニアが夢の中でわけのわからない言葉と切れ目のない呻《うめ》きを発しているのに気づいた。実際カルプルニアは殺されたカエサルを腕に抱いて嘆いている夢を見たのである。

しかし或る人は妻が見たのはこの夢ではなく、カエサルの家には元老院の決議によって荘厳な装飾として出張った棟《むね》が付いていたとリーウィウスも記しているが、カルプルニアはその棟が崩れた夢を見て悲鳴を揚げ涙を流したのだと言っている。とにかく夜が明けると（訳注　前四四年三月十五日）カルプルニアはカエサルに、できるならば出掛けないことにして元老院を延期するように頼み、もしも自分の夢を全く気に懸けないにしても別の予言と犠牲によって未来の事を判断するように勧めた。そこでカエサルも幾分疑念と恐怖に襲われたらしいというのは、それまでカルプルニアが他の女のように迷信を懐いたことがないのに、この時は非常に心配していたからである。ところで予言者たちは幾つも犠牲を献《ささ》げたが不吉だと告げたので、カエサルはアントーニウスを遣《や》って元老院を延期する決心をした。

カエサル　六四　丁度その時、アルビーヌスという副名のあるデキムス　ブルートゥスつまりカエサルに信頼されて第二位の相続人と記されながら別のブルートゥス及びカッシウスの陰謀にも加わっていたブルートゥスは、カエサルがその日を避けて、事が発覚するのを恐れ、予言者たちを愚弄《ぐろう》してカエサルを非難し、元老院は侮辱されたとして非難や攻撃を浴びせるに違いない、元老院はカエサルの命令によって集まり、議員たちは喜んでカエサルがイタリア以外の統治の州の王と呼ばれイタリア以外の陸でも海でも行く時には王冠を戴くことを決議によって認めようとしている、今せっかく集まっているところへ人が行って散会を告げ、カルプルニアがもっといい夢を見た時にまた集まってくれと言ったならば、悪意を持つ人々からどんな噂《うわさ》が起るか、また友人たちがこれを奴隷制でも独裁政でもないと説いたところで誰が耳を傾けるか、それよりもこの日が全く不吉と思われるならば自分で元老院に出掛けて延期する旨を演説する方がいいと勧めた。こう話しながらブルートゥスはカエサルの手を取って連れて行った。

6　（第二幕第三場）

カエサル　六五　また、クニドスの生れでギリシャ哲学の教師となったためにブルートゥスの仲間と親しくしていたアルテミドーロスは、計画の大部分を知っていたので、告発しようと思った事を手紙に書いて持って来たが、カエサルが方々から来た手紙を受取って一つ一つ傍にいた召使に渡しているのを見て、つかつかと傍に寄り、『これをお独《ひと》りで早くお読みになって下さい。あなたに関係のある重大な事柄について書いてあります』

と言った。そこでカエサルは受取って度々読もうとしたが、会いに来ている人々が多いために妨げられ、手にその手紙だけを持ったまま元老院に入って行った。或る人の話では、その手紙を渡したのは別の人で、アルテミドーロスは全く近づくことができず、来る途中ずっと阻《はば》まれていたのだと言う。

7　（第二幕第四場）

ブルートゥス　一五　丁度その時に、ブルートゥスのところへ家から使いのものが駆けつけて、妻が死んだと知らせた。ポルキアはこれから起る事に気が気でなく、心配の大きさに堪えかねて家にじっとしていられず、物音や叫び声を聞く度に、バッコスの祭で踊り狂う女のように、飛び出してはフォルムから来る一人一人にブルートゥスがどうしているかと訊き、別に次々と使いを出していた。時間があまり掛かるのでとうとう体の力が続かなくなり、へとへとに弱って困惑のあまり気が変になった。そうして部屋に戻る余裕もなく、いた場所にそのまま侍女たちの真ん中に坐り込み、手がつけられないほど滅入って呆然《ぼうぜん》となり、顔色も変り声も全く出なくなった。侍女たちはこの有様に叫び声を揚げ、近所の人々も戸口に駆けつけたが、間もなく死んだという知らせが出て、噂が弘《ひろ》まった。それでも暫《しばら》くすると息を吹き返して正気に戻ったので、女たちは看護を続けた。ブルートゥスは、その知らせが届くと勿論《もちろん》取乱したが、公の事を棄てず、悲しみのために家に走り帰ろうとはしなかった。

8　（第三幕第一場）

カエサル　六六　いずれにしても、それらの事はひとりでにそうなったのであるが、その時元老院の人々が集まって来てあの虐殺と闘争が起った場所は、ポンペーイウスが奉献物として劇場に増築した部分で、ポンペーイウスの立像が置いてあり、全く神が密かに導いてそこに事変を招き寄せた仕業《しわざ》であることが明らかになった。

ブルートゥス　一五　ブルートゥス自身とカッシウスにも、元老院議員のポピリウス　ラエナースがいつもより愛想よく挨拶してそっと囁《ささや》き、『君たちが企てている事が成功するように祈る。ぐずぐずしない方がいい、計画はもうわかっているから』と言った。そう言って立ち去ったが、計画が発覚したのではないかという強い疑念を懐かせた。

ブルートゥス　一六　やがて、カエサルが輿《かご》に乗ってやって来るという報告があった。犠牲に現われた前兆に気を落したので、この日には重大な事柄は批准《ひじゅん》せず、病気を言い立てて延期することに決していたのである。カエサルが輿から下りると、少し前ブルートゥスの一味に幸運と成功を祈ったポピリウス　ラエナースが馳《は》せ寄って暫く話し合い、カエサルは立ったまま耳を傾けた。誓いを共にする人々、ということにするが(訳注　本篇一二節に見えるように、この一味は別に誓いは立てていなかった)、その人々にはラエナースの声が聞えはしなかったけれども、自分たちが疑念を懐いているところから、その会談を陰謀の密告だと察して計画の自信を失い、顔を見合せ目配せをして、逮捕を待たず直ちに自分たちの手で死ななければならないという意味を伝え合った。既にカッシウスその他の人々は、上着の下に隠した短剣の柄《つか》に手をかけて抜こうとしたが、ブルートゥスは、ラエナースの様子から熱心に頼み込んでいるだけで告発しているのではないと看取《みと》り、一味に加わらない人が大勢間にいたため何も言わなかったが、晴々しい顔付きでカッシウスたちに元気をつけた。間もなくラエナースはカエサルの右の手に接吻して立ち去り、自分自身のためにかつ何か自分に関する争い事について相談していたということが明らかになった。

カエサル　六六　さてカエサルの信任を得ていた力の強いアントーニウスには、ブルートゥス　アルビーヌスが外で引留めてわざと長話を仕掛けていた。カエサルが入って来ると元老院の人々は敬意を表して起立したが、ブルートゥスの一味の或るものはカエサルの椅子の後ろを取巻き、他のものは追放になっている兄弟のために嘆願するティルリウス　キンベルの口添えをするためにカエサルを迎えて椅子のところまで随《つ》いて行った。カエサルは腰を卸してその嘆願を拒絶し、相手の人々が頑強《がんきょう》に主張するのを一人一人叱《しか》りつけると、ティルリウスはカエサルの上着を両手で捉《つか》まえて喉頭のところから引き下ろした。それが凶行の合図であった。先ずカスカが剣で頸《くび》のところを打ったが、その傷が浅くて死に到《いた》らなかったのは、勿論この大それた行動の手始めに取乱したためである。そこでカエサルはその方に向き直って剣を捉まえて抑えた。打たれた方がラテン語で『不届者《ふとどきもの》のカスカめ、何をする』と叫んだのと、打った方が兄弟に向ってギリシャ語で『おい、手を藉《か》せ』と言ったのと同時であった。こういう風に事が始まったので、一味に加わっていない人々は非常に驚いてこの行動に慄《ふる》え上がり、逃げ出したり助けたりすることは愚か、声を立てる勇気さえなかった。暗殺を企てていた人々は銘々抜身の剣をかざしたので、カエサルは周りを取巻かれ、どっちを向いても打下ろして来る剣を顔と眼に受けて野獣のように狂い回りながら皆の手の間に揉《も》まれた。誰も彼も我先に止《とど》めを刺さなければならなかったからである。そこでブルートゥスもカエサルの腿《もも》の付根に一撃を加えた。或る人の話によると、カエサルは他の相手に対しては身を防いであちこちと体を躱《かわ》し、大声に叫んでいたが、ブルートゥスが剣を揮《ふ》り上げるのを見ると（訳注　有名な『我が子よお前もか』という言葉は、紀元一―二世紀にローマの人スエートニウスがその『ユリウス伝』八二節にギリシャ語で引用されているが、彼はその資料を疑っている。なおその後紀元二―三世紀ビーテューニアーの町ニーカイアーの人ディオーン　カッシオスの『ローマ史』第四十四巻二〇節にも見える）顔を上着で覆い身を投げ出して、偶然かそれとも暗殺者に押されたためか、ポンペーイウスの立像の置いてある台の下に倒れた。血潮が一ぱいその台を汚《よご》してその足許《あしもと》にカエサルが横たわり無数の傷を受けて喘《あえ》いでいる様子は、ポンペーイウス自身が政敵に対する復讐《ふくしゅう》に立ち会っているように見えた。受けた傷は二十三箇処と言われ暗殺者たちはこの一つの体にこれほど多くの傷を浴びせようと逸《はや》ったので、多くのものは互いに傷つけ合った。（訳注『プルートゥス』篇一七節）

ブルートゥス　一八　ブルートゥスの一味はカピトーリウムに登り、血だらけになった手に抜身の剣を揮《ふる》って、市民に自由を促した。ところで最初は叫び声が揚がり、惨事に続く興奮によって起った人々の馳《は》せ違いに騒ぎを大きくしたが、他の人は殺されず財物の掠奪《りゃくだつ》も行われなかったので、元気を取戻した元老院議員や多くの平民も、カピトーリウムにいる一味のところに登って行った。大勢集まると、ブルートゥスは民衆を馴致《じゅんち》するために時機にふさわしい演説を始めた。聴衆はそれに賛成を示し、丘から降りて来るように叫んだので、一味のものも安心してフォルムに下る際、他のものは互いに纏《まと》まって来たが、ブルートゥスは名士の真ん中に取囲まれて、いかにも花々しく丘の上から降り、演壇の上に立たされた。その姿を見ると、大衆は雑然としていて騒《そう》擾《じょう》を引起そうとしていたにも拘《かかわ》らず、威圧されて整然と沈黙したまま、何が起るかと待っていた。ブルートゥスが進み出ると、みんな静粛にして演説に耳を傾けた。しかし今度の行動が必ずしもすべてのものに喜ばれなかったということは、キンナが演説を始めてカエサルを弾劾すると、人々が怒り出してキンナを罵《ののし》ったところからも明らかになったので、一味のものは再びカピトーリウムに引揚げた。（訳注『カエサル』篇六七節）

アントーニウス　二一　（父に追われたアントーニウスは）暫くの間、その頃の民衆煽動家の中でも最も過激で恥知らずのクローディウスが国政を乱した運動に参加したが、やがてクローディウスの気違い沙汰《ざた》が厭《いや》になりかつクローディウスに反抗して集まった人々を恐れ、イタリアからギリシャに去って、戦闘のために身体を鍛錬し、また演説の練習をして日を過した。その際選んだのは謂《い》わゆるアジア風の弁論（訳注　アレクサンドロスの少し後に出たマグネーシアーの人ヘーゲーシアースに始まる演説の様式。それまでの簡明で自然な様式に対抗して彫琢を盛に加えた飾りの多いもの。ローマではホルテーンシウスがこれを代表し、それに対する様式はキケローの代表するアッティカ風であった）で、特にこの時期に栄えたばかりでなく、アントーニウスの生活と多くの類似点を持ち、けばけばしく驕慢で、空虚な誇示と不均衡な名誉心に充《み》ちたものであった。

ブルートゥス　二〇　先ず遺言によるとローマ市民全部に一人ずつ七十五ドラクメーを与え、民衆には河の向う側の、今のフォルトゥーナの神殿のあるあたりの果樹園を贈ることになったので、カエサルに対する驚くべき好意と追慕が市民の心を捉《とら》え、次に遺骸《いがい》がフォルムに運ばれた時、アントーニウスは慣例に従って頌讃《しょうさん》の演説をして行くうちに、大衆が自分の言葉に動かされたのを見ると哀悼の辞に転じ、カエサルの血だらけになった上着を手にして拡《ひろ》げ、剣で刺した痕《あと》と傷の数を示した。こうなってはもう秩序が保てないことは明らかであった。或るものは大声で下手人を殺せと叫び、或るものは、前に煽動政治家のクローディウスの場合のように、市場の店から腰掛や卓子《テーブル》を引摺《ひきず》って来て一つ処に積み重ね巨大な焚木《たきぎ》の山を作り、遺骸を上に置いて、多くの神殿や駆け込んで命の助かる祠《ほこら》やその他神聖な場所の真ん中で荼毘《だび》に付した。ところが火が燃え上がったので、八方から人々が銘々駆けつけ、半分火のついた木片を持ち出してカエサルを暗殺した人々の家を焼くために走り回った。（訳注『カエサル』篇六八節『アントーニウス』篇一四節）

ブルートゥス 二二 事態がこうなっていたところへ、若いカエサル（訳注 オクターウィアーヌス。『アントーニウス』篇一一、一六節）が帰国したので、また別の変動が起った。これはカエサルの姪《めい》の息子であるが、書類によって（訳注「遺言によって」とも「法律上」とも取れる）カエサルの息子（訳注 養子）かつ相続人として遺《のこ》された。カエサルが殺された時はアポルローニアー（訳注 同節）に留まって文学の勉強を続け、やがてパルティアーに出征することに決しているカエサルを待っていた。事変を聞くや否やローマに帰って来たが……（訳注『アントーニウス』篇一六節）

10 （第三幕第三場）

カエサル 六八 ところでカエサルの友人の一人キンナ（訳注 詩人）は丁度その前の晩不思議な夢を見たと言われている。それは、カエサルから食事に招かれたのを辞退したのに、厭《いや》がって抵抗するのをカエサルに手を取られて引張って行かれる夢であった。さてキンナはカエサルの遺骸がフォルムで焼かれていると聞くと、夢見が気になったので熱があったのに起き上がって弔意を表しに出掛けた。その姿が見えると、その名前を訊《き》いた人に群衆の一人が答えたのをその人がまた別の人に告げて行く間に、それはカエサルを暗殺した一人だという騒ぎが（訳注 諸本には「直ちに」とある。ツィーグレルが読み直しているのに従う）全体に弘まった。実は陰謀に加わった人の中にそれと同じキンナという名の人（訳注 ルーキウス コルネーリウス キンナ。前八七、八六、八五、八四年のコーンスルのルーキウス コルネーリウス キンナの息子。レピドゥスの叛乱に加わり、イスパニアではセルトーリウスに従い、赦免されてローマに戻ってからこの年のプラエトルを勤め、カエサルの暗殺を是認したため三月十七日元老院へ行く途中で襲われ、レピドゥスによって救われた。その妻はポンペーイウスの娘である）がいたので、よくも考えずにこれをその人と思い込んだ群衆は忽ち駆け寄ってこの人をその場で八裂きにした。（訳注 『プルートゥス』篇二〇節）

11　（第四幕第一場）

アントーニウス　一九　そこで三人は河を廻《めぐ》らしている小島に集まって三日間協議をした。大体の点は適当に協定がついて、版図全部をあたかも父祖伝来の財産のように互いに分配したが、死刑に処すべき人に関する論議が甚《はなは》だしい面倒を招き、銘々は自分の政敵を殺して親戚を救うことを要求した。結局憎んでいる人々に対する怒りのために親戚に対する顧慮と友人に対する好意を断念して、カエサルはアントーニウスにキケローを委《ゆだ》ねるし、アントーニウスは自分の母方の叔父に当るルーキウス カエサルをカエサルに委ねるし、レピドゥスにはその兄弟のパウルスを殺すことが認められたが……

ブルートゥス　二八　カッシウスがその意見に従って戻って来たので、ブルートゥスはこれを出迎え、前にペイライエウス（訳注 アテーナイの外港）で袂《たもと》を別ち一人はシリアへ一人はマケドニアへと出発して以来初めてスミュルナ（訳注 小アジアの西岸中部の町）に相会した。銘々が軍隊を引連れて来たので、二人とも勿論《もちろん》非常に喜び元気を出した。二人ともイタリアを去った時は、最もみじめな亡命者と同様、金もなく武器もなく艪《ろ》の付いた船もなく、一人の兵士もなく町もなかったのに、大して長く経たないうちに同じ場所に集まり、軍艦も歩兵も騎兵も財物もローマの支配権のために戦うに足りるだけ備えていたからである。

13　（第四幕第三場）

ブルートゥス　三四　ブルートゥスはカッシウスをサルデイス(訳注 小アジア西岸中部の地方リューディアー中央の都)に招き、その来るのを友人たちと共に出迎えたところが、武装した軍隊全部は二人をインペラートルと呼んだ。大きな事業の際にはよくあるように、大勢の友人や諸隊長の間で互いに非難や誹謗《ひぼう》が生じたので、二人は次の段取に入る前に、着くと直ぐ自分たちだけ一室に閉じ籠《こも》り、扉《とびら》を鎖《とざ》して誰も入れず、先ず非難を持ち出し、次に批判と弾劾に移った。しかしやがて涙を流し、感動を籠めた直言に走ったので、その怒りの激しさと強い調子に驚いた友人たちはこれから何か始まるのではないかと恐れたが、二人は室に入るのを許さなかった。ところがカトーの崇拝者で、理論よりも気魄《きはく》と気違いじみた感情によって哲学を修めているマルクス　ファウォーニウスは、内にいる二人のところへ行こうとして召使たちに阻《はば》まれた。しかし何事にせよ一旦《いったん》こうと思い立ったファウォーニウスを抑えるのは、すべての点で過激な性急な人物だけに、大変な事であった。実際自分がローマの元老院議員だということには何の値打ちもないと考えていたし、承知で厭《いや》がらせを言う癖は大抵の場合却《かえ》ってその直言の粗暴なところを消したので、人々はこの人のあたり構わぬ言動を面白がって受容《うけい》れていたのである。そこでこの時も居合せる人々の間を押分けて戸口から入り、作り声をしてホメーロスの詩にあるネストール(訳注 トロヤを征めたギリシャ軍の長老の将軍)の使った言葉(訳注『イーリアス』第一巻二五九)を、『いや、私の言う事をお聴《き》きなさい。お二人とも私よりは若いのだ』から始めて、次々と朗誦した。それを聞いてカッシウスは笑い出したが、ブルートゥスはファウォーニウスをやくざ犬の贋犬《にせいぬ》め(訳注 アンティステネースの学徒は「犬のたぐい」と呼ばれていた)と呼んで追い出した。それでもこれで互いの不和の結末がついて、二人は一旦別れた。やがてカッシウスは宴席を設け、ブルートゥスは友人たちを招いた。客が座に着くと、ファウォーニウスは入浴を済ませてからやって来たが、ブルートゥスは、この人は招きもしないのに来たのだときっぱり言って、末席に連れて行かせたのに、ファウォーニウスは無理に真ん中に入り込んで座に着いた。結局その宴会は中々はずんで妙味と哲学を発揮した。

ブルートゥス　三五　次の日ブルートゥスは、前にプラエトルにもなって自分が信頼していたローマ人のルー

キウス　ペルラを、サルディスの人々の訴えにより、公金着服の廉《かど》で有罪と認め栄誉を剝奪《はくだつ》したが、この事はカッシウスを並々ならず痛めつけた。というのは、カッシウス自身が数日前に、同じ罪状で告発された友人を二人、私にたしなめただけで公には釈放し、引続き使っていたからである。そこでカッシウスは、政策と寛大を必要とする大事な時にあまり法律ばかり守って正義を振回し過ぎるとブルートゥスを責めた。するとブルートゥスは、三月のイードゥースの日を思い出せと言って、あの日カエサルを殺したのは、カエサル自身がすべての人の物を掠奪《りやくだつ》したからではなく、他の人々にそうさせる力を持ったからだと説き、正義をなおざりにしてもいいほどの立派な口実があるとしても、我々は自分たちの仲間が不正を行うのを看過《みすご》すよりも、カエサルの味方にそれを許す方がいいと述べた。『後の場合には我々が臆病《おくびよう》だと言われれば済むが、前の場合には危険や労苦に加えて不正だという評判を取るからである』ブルートゥスの主義はこういうものであった。

ブルートゥス　三一　さてブルートゥスは、パタラの町が強く反抗すると知ったが、同じような狂乱を恐れて当惑したため、攻撃を躊躇《ちゆうちよ》し、そこの女たちを捕虜にしながら身代金《みのしろきん》も取らずに釈放した。その女たちは顕要な人々の妻や娘で、ブルートゥスが最も思慮のある正義の士であることを認め、夫や父を説得して町を引渡すように譲歩させた。それ以来他の町の人々もブルートゥスのところにやって来て降服し、予期以上の好意と深切を受け、丁度その頃カッシウスはロドス島の人々を強《し》いてすべてのものに銘々が持っている金や銀を出させた結果八千タラントン集まった上、公にはなお町に五百タラントンの罰金を課したのに、ブルートゥスはリュキアーの人々から百五十タラントン取立てただけで、他に少しも害を加えず、軍隊を率いてイオーニアーに向った。

ブルートゥス　三〇　さて、ブルートゥスはこの時スミュルナで、カッシウスが集めて置いた財物の一部を貰いたいと要求した。と言うのは、内の海(訳注 地中海)全部を配下に収めるほどの艦隊を送るために、自分の財産を使ってしまったからである。ところで、カッシウスの友人たちは、君が節約して保ち人々の怨《うら》みを買ってまで集めた物を、ブルートゥスが取上げて民心を収攬《しゅうらん》し兵士を懐柔するために使うのは正しくないと言って、やるなと勧めたが、それでもカッシウスはブルートゥスに全体の三分の一を与えた。

ブルートゥス　五三　ブルートゥスの妻ポルキアは、哲学者のニーコラーオスやワレリウス　マクシムスの記すところでは、死のうと思ったが、友人たちが一人としてそれを許さず、傍に付いて番をしていたので、火の中から燃えている炭を素早く取って嚥《の》み込み、口を固く閉じたまま死んだという。しかしブルートゥスが友人たちに宛《あ》てた手紙として伝わっているものには、友人たちに見放されて病気のために生きているよりも死んだ方がいいと言っているポルキアの事を嘆き、友人たちを非難する文句が書いてある。その手紙が本物だとすれば、この妻の病気や愛情や死に方までちゃんと書いてあるところを見ても、ニーコラーオスは時日を誤っていることになる。

ブルートゥス　二七　その後、カエサルとアントーニウスとレピドゥスの三人は互いに和解して統治の州を分配し、二百人のものを追放及び死刑に処したが、その中に入っていたキケローも殺された。

ブルートゥス　三九　そこで、カッシウスは現状のまま戦闘によって勝敗を決する気がなくなり、味方は武器も人間も数が劣っているが、財物は豊富にあるから、時間を掛けて戦争を長引かせるのがいいと考えた。しかし、ブルートゥスは、前にもできるだけ早く危険な状態の解決を図って、祖国に自由を取戻させるか、出費や出征や軍務に悩まされているすべての人を禍害から解放しようと急いでいたが、この時も自分の部下の騎兵が前哨戦《ぜんしょうせん》の小競合《こぜりあい》に成功を収め敵を圧服したのを見て、元気が起った。かつ幾人かの兵士が敵方に脱走し、カッシウスの部下との間に誹謗《ひぼう》と疑念が生じたので、カッシウスの友人は多数、協議の席においてブルートゥスの側に移った。ただブルートゥスの友人の一人アティーリウスだけはそれに反対して、少なくとも冬を越すように勧めた。ブルートゥスが、一年経てばどういういい事があると思うのかと訊《き》くと、『別にいい事がなくても、それだけ長く生きられるわけです』と言った。それを聞いてカッシウスは機嫌《きげん》を悪くし、他の人々にもアティーリウスは少なからず厭《いや》な思いをさせた。とにかくその次の日に戦うことに決められた。

ブルートゥス　三六　ところでこの頃は戦争が始まっていて、全局に関する要務を握っていたし、将来に対する配慮に煩《わずら》わされていたので、夕方食事の後少しまどろむと、あとはもう急ぎの用に夜の時間を使わなければならなかった。しかしそれらの事務を纏《まと》めて処理することができれば、夜番の第三刻（訳注　日没から日出までを四分して夜番の交代する時刻を数える。つまり午前三時頃）まで本を読むと、その頃百人隊長やトリブーヌス　ミーリトゥム（訳注　民選の役人で軍団に配属されていた）がブルートゥスのところに来ることになっていた。さて、軍隊をアジアからヨーロッパに渡そうとしていた時に、夜はずっと更けていてテントには灯が弱く輝き宿営全体は沈黙していた。ブルートゥスは何か思いを廻らして考え込んでいたが、誰かが入って来る音を聞いたような気がした。そこで入口の方に眼を遣《や》ると、人並外れて大きな体をした恐ろしい異様な姿が、黙って自分の傍に立っているのを見た。勇気を出して『どなたです。人ですか、神ですか。何の用があって来たのです』と訊くと、幻影が答えて『あなたの悪霊だ。フィリッポイ（訳注　ラテン語はフィリッピー。マケドニアの東岸パンガイオス山の平原にある町。クレーニーデスの跡に前三五八－三五七年フィリッポス二世が建てたもの）で会いましょう』と言った。そこでブルートゥスも平然として『会いましょう』と言った。（訳注『カエサル』篇六九節）

14　（第五幕第一場）

ブルートゥス　三八　ところで、数の点ではカエサルの側よりもずっと劣っていたが、武器の飾りと花々しさにかけてはブルートゥスの軍隊は驚くべき外観を示していた。ブルートゥスは通例、諸隊長に質素で控え目な生活をさせていたけれども、大部分の武器には惜気もなく金や銀を施したからである。

ブルートゥス　四〇　それから二人は友人たちも列席したところで戦列について協議した。ブルートゥスはカッシウスに右翼を指揮したいと言ったが、人々は経験からしても年齢からしても、これはむしろカッシウスが指揮すべきものだと考えた。それでもカッシウスはそれを承認したばかりでなく、最も精鋭な部隊を率いているメッサルラに右側の位置を取るように命じた。

アントーニウス　九　これらの事のためにアントーニウスは民衆から憎まれ、着実で慎重な人々からも平生の生活のために気に入られず嫌《きら》われていたことは、キケローも言っているが、その場所柄を弁《わきま》えない泥酔や、やりきれない浪費や、女相手の耽溺《たんでき》や、昼間眠ったり二日酔の頭を抱《かか》えて歩き回ったりすることや、夜酒盛をしたり芝居をやらせたり道化役者の結婚式に列席したりすることで人々の眉を顰《ひそ》めさせた。

ブルートゥス　四〇　ブルートゥスは食事の時に見事な希望を述べ、哲学の議論を行ってから休み、カッシウスはメッサルラの伝えるところによると、自分のところに少数の親しい人々を招いて食事をしたが、天性そうではないのに考え込んで黙っているように見えた。食事が終るとメッサルラの手を強く握って、好意を示す時にいつもやるように、ギリシャ語を使ってこう言った。『君を証人にして言うが、私は大ポンペーイウスと同じ心持になって、祖国に関する賽《さい》を唯一の戦闘によって投げなければならなくなっている。しかし我々は勇ましい心を持って運命の女神を見ることにしたい。我々の計画が間違っているとしても、運命の女神を信じないということは正しくない』この最後の言葉を述べてからカッシウスは自分を抱擁し、次の日はカッシウスの誕生日であったから食事に招かれていたのだとメッサルラは言っている。

ブルートゥス　三七　その幻影が消え失せてから、ブルートゥスは召使を呼んだが、音も聞かなかったし姿も見なかったと言ったので、その時はそのまま徹夜をして、夜が明けるとカッシウスのところへ行ってその幻影の話をした。カッシウスはエピクーロス（訳注 前四—三世紀の有名な哲学者）の学説を信奉していて、それについてはいつもブルートゥスと論争していたのであるが、『我々の学説では、我々が感じたり見たりするものがすべて真実だとは考えず、感覚は不安定で人を欺くものであり、悟性は活動の鋭いもので、ありもしないものをいろいろな形に変えるのだと考えている。現に印象は蠟《ろう》に似ていて、人間の精神は型をつけるものと型をつけられるものとを持ち、容易に自分の力でいろいろな性質や形状を取ることができる。それは、睡眠の際に現われる夢の変形によっても明らかであって、想像力が僅かな原因からあらゆる種類の感情や表象を生ずるのである。想像力は元来いつも動いていて、その運動が表象になったり悟性になったりする。君の場合も、疲労している体が本性によって悟性を動揺させ異常にするのである。霊などというものは存在するとは考えられないし、存在するとしても人間の姿だの声だの我々にはたらきかける力だのを持っているとは信じられない。私としてはむしろそうあってくれればいいと思うが、それは、これほど多くの兵士や馬や船ばかりでなく、神々の助けによって元気を出し、最も神聖な最も立派な事業を遂行するためなのである』と言った。カッシウスはこういう議論をしてブルートゥスを宥《なだ》めようとした。

ブルートゥス　三九　それにも拘《かかわ》らず、浄《きよ》めの式には不吉な前兆が起ったとカッシウスは思った。それは、リークトルが自分のところへ持って来た冠が裏返しになっていたからである。その上、これよりも前の催物と行列の時、カッシウスの持っていたウィクトーリア（訳注 勝利の女神）の黄金の像を、運んで来たものが滑《すべ》って取落したと言われている。その他、肉食鳥が毎日沢山陣営の上に飛び、防壁の中の或る場所には蜜蜂《みつばち》の群の止っている塊が見られたが、予言者はその場所の立入りを禁じ、カッシウスさえ次第にエピクーロスの説から離れて、兵士を全く支配していた迷信的な神々に対する恐れを儀式によって解こうとした。（訳注『カエサル』篇六六節）

ブルートゥス　三七　さて、兵士が船に乗り込んでいる時に、二羽の鷲《わし》が先頭の二本の旗の上に止ってそのまま運ばれ、兵士に養われながらフィリッポイまで随《つ》いて行った。しかしそこへ行ってから戦闘の一日前に飛び去ってしまった。

15　（第五幕第二場）

ブルートゥス　四一　丁度その時アントーニウスの部隊は、陣地の周囲にあった沼地から平原の方へ壕《ごう》を掘って、カッシウスが海岸に出て行く路を遮断《しゃだん》した。カエサルは自分が病気であったためにそこには顔を見せず陣営に留まっていたが、その軍勢は敵が戦を交えようとは全然予期せず、ただ防備の工事に対して攻撃を加え壕を掘っている兵士を軽い矢と石や騒がしい叫声で掻《か》き乱すだけだと見ていたので、対陣している敵を気に懸けず、壕の辺に起る雑然とした大きい叫びが聞えて来るのに驚いていた。その時、ブルートゥスのところから諸隊長に合言葉を書いた小さな書きもの板が配られ、ブルートゥス自身は馬で戦列を駆け回って士気を鼓舞していたが、合言葉が口から口へ伝えられるのをうまく聴取《ききと》ったものは少なく、大部分の兵士は待ち切れず一度にえらい勢で鬨《とき》の声を揚げて敵に突撃を加えた。この無秩序のために戦列が不規則に散乱して……

ブルートゥス　四二　カエサルの部隊を迂回《うかい》せずにそれと戦ったブルートゥスの部隊は、容易にその戦列を潰《かい》走《そう》させ白兵戦で三中隊も撃滅し、勝に乗じて逃げる敵を追い、ブルートゥスも一緒に陣営に突入したが、勝ち誇っている側(訳注 ブルートゥス側の兵士)が気づかなかった事を、負けている側(訳注 カエサル側の兵士)ではその機会に看取った。それは、右翼が追撃に行ってしまったあとの手薄になった敵の部隊(訳注 カッシウスの率いる左翼)に攻撃を加えたそれらの兵士(訳注 カエサル側の兵士)は、……既に起った状況を知らずに混乱した左翼を潰走させて追撃に移り、防壁に突入してこれを壊滅させた……そのうちに中央は前面の敵を撃退して多数を殺し、ブルートゥスは完全に勝利を占め、カッシウスは完全に敗北を受けたと思われた。ところが、この一事が二人の形勢を失敗に陥《おと》しいれることとなったもので、ブルートゥスはカッシウスも勝利を得たと信じて救援に赴《おもむ》かず、カッシウスはブルートゥスも敗北を受けたと思って抵抗を続けず、またメッサルラは、二人が何も得ていないのに自分は敵の鷲章《わしじるし》(訳注 ローマの軍団のしるし)を三つと軍旗を多数取ったのを勝利の証拠と見た。

16　(第五幕第三場)

ブルートゥス　四三　カッシウスの形勢は次のようになっていた。カッシウスはブルートゥスの部下が最初に合言葉も命令も待たずに突撃したのを見て面白からず感じ、勝利を得ると直ぐそれらの兵士が戦利品掠奪《りゃくだつ》に掛かって敵を包囲するのを怠ったのでその行動が気に入らなかった。それに、熱意と考慮によるよりもむしろ幾分躊躇《ちゅうちょ》しながら暇取って指揮をしているうちに敵の右翼に包囲され、騎兵は直ちに算を乱して海の方に逃《のが》れたので、歩兵も退却しかけているのを見るとそれを抑えて呼びつけようと試みた。逃げかけた一人の旗手から旗を奪って足許《あしもと》の地面に突き刺したが、自分の身を護っている兵士はもはや踏み留まる気がなくなっていた。そこで止《や》むを得ず少数のものと一緒に、その平原を見晴らす丘の上に退却した。しかし気力が弱っていたので、自分では陣営が破壊されているのを殆《ほとん》ど見ることができず、手許にいた騎兵だけはブルートゥスが遣《つかわ》した多数の騎兵の駆けつけて来るのを見た。それをカッシウスは敵が自分のところへ追撃して来るのだと推察した。それでも傍に居合せたティティニウスというものを斥候《せっこう》に出した。騎兵はこの人の近づいて来るのを認めたが、カッシウスの信頼する友人だと知って喜びの叫び声を挙げ、それと親しい人々は馬から飛下りて挨拶の握手を交し、他の人々も馬をその周《まわ》りに走らせて、止め度もない歓喜に勝鬨《かちどき》を揚げると同時に武具を敲《たた》いたのが、却ってこの上もない禍《わざわい》を惹《ひ》き起すことになった。

というのは、カッシウスは、ティティニウスが実際敵に捉《つか》まったと思い込み、『我々は命を惜んだために、見す見す大事な人を敵に捕えさせてしまった』と言って、人のいないテントに引込み、クラッススが不幸な目に会った時以来こういう危急の場合に備えて自分が養って置いた解放奴隷のピンダロスにも入らせた。パルティアーの兵からは逃れることができたが、その時は外套《がいとう》を顔に掛けて喉頭を露《あら》わし、剣で斬《き》れと言った。実際、人々が行った時には、首が胴から離れていたのである。その殺害の後誰一人ピンダロスを見たものがなかったので、或る人は命令も受けないのに主人を殺したのだろうと推測した。暫《しばら》くして味方の騎兵であることが明らかにわかり、それらのものから冠を載せられたティティニウスがカッシウスのところへやって来た。ティティニウスは味方の嘆き悲しむ叫び声を聞いて、将軍の非運と過誤を覚《さと》り、剣を抜いて、ぐずぐずしていたことを自ら責めて自殺した。

ブルートゥス　四四　ブルートゥスはカッシウスの敗北を知って駆けつけたが、既に陣営に近づいてからその死を聞いた。屍体《したい》に抱きついて嘆き、カッシウスを最後のローマ人と呼んで、これほど気位の高い人はもうローマには生れないという意味を含め、遺骸を包んでタソスに送ったのは、喪を表わしてその場に動揺が起らないようにしたのである。

ブルートゥス　五一　間もなく、自分のために戦闘で斃《たお》れた仲間の名を一々挙げ、特にフラーウィウスとラベオーの名を言う時には溜息《ためいき》をついた。ラベオーはブルートゥスの副官であり、フラーウィウスは技師の頭《かしら》であった。

17　（第五幕第四場）

ブルートゥス　四七　カエサル及びアントーニウスの側でも情勢はやはり面白くなく、糧食が窮乏した上、陣営が低い場所にあってひどい冬の生活を期待する他なかった。現に、沼地の辺に陣営を構え、戦闘の後に晩秋の雨が続いたためにテントは泥と水に充《み》たされ、しかもそれが寒気のために凍ったからである。そういう状態でいるところへ、輸送中の軍隊が海上で不運な目に会ったという報告が届いた。それは、カエサルの要求によってイタリアから輸送された多くの軍隊をブルートゥス側の艦隊が撃滅し、そのうち敵の手を逃れた極く少数のものも饑《う》えに責められ帆布や綱を食べてようやく過しているというのである。それを聞いた人々は、ブルートゥスがどれほど大きな幸運を授かったか自身も知らずにいる間に、戦闘によって勝敗を決しようと急いでいた。というのは、同じ一日のうちに陸戦と同時に海戦が勝敗を決することになったのである。ところが、艦隊の指揮官たちの怠慢というよりはむしろ何かの運命によって、ブルートゥスは二十日経つまでその成功を知らずにいた。さもなければ次の戦闘を始めるにしても、長い間掛けて軍隊に必要な物を用意し、有利な地勢を選んで、冬の猛威を感ぜず敵から攻撃のできないような陣営を構え、確実に海上を制圧し陸上でも勝利を収めることによって、自分の側に大きな希望と士気を得てからにするはずであった。

ところが推察によれば、ローマの政権はもはや民衆の手に握られていないで単独支配を必要とし、神は支配力を持つものの邪魔になっている唯一人を取除き覆《くつがえ》そうと欲していたらしく、もう少しでブルートゥスが気づくところまで来ていたその幸運を断ち切り、ブルートゥスがいよいよ戦闘を始めようとしていた一日前のしかも夕方、クローディウスというものが敵方から脱走して来て、カエサル側では味方の艦隊の滅亡を知って決戦を急いでいることを告げた。それを報告した男が人々に信ぜられずブルートゥスの前に連れて来られなかったのは、愚にもつかない話を聞いて来たかまたは機嫌《きげん》を取るために嘘《うそ》の報告をしていると思われて全く無視されたからである。

ブルートゥス　四八　その晩再び幻影がブルートゥスの眼に現われ、同じ幻影だとわかったが、何一つ言わずに立ち去ったという話である。（訳注『カエサル』篇六九節）

ブルートゥス　四九　その際、カトー（訳注　小カトー）の息子は、最も勇敢で高貴な青年の間で闘って疲れ果てたのに逃げず退《ひ》かず、剣を揮《ふる》いながら、父の名も添えて名乗りを揚げ、多くの敵の屍体《したい》の上で斃れた。他の最も屈強なものもブルートゥスを庇《かば》うために危険を冒して戦死した。

ブルートゥス　五〇　ブルートゥスの友人の中にルーキルリウス（訳注『アントーニウス』篇六九節）という勇敢な人がいた。この人は、追撃する幾人かの蛮族の騎兵が他の人々には少しも構わずえらい勢いでブルートゥスの方に走って来るのを見て、危険を冒してもそれを妨げようと決心した。そこで皆から少し遅れて、自分こそブルートゥスだと言い、カエサルを恐れてはいるがアントーニウスには平気だからアントーニウスのところへ連れて行ってくれと頼んだので、敵はそれを信用した。思いも懸けない拾い物に大喜びをして何か素晴らしい幸運に恵まれたと思った敵は、既に暗くなってからこの男を引いて行き、仲間の幾人かを遣《や》ってアントーニウスに報告させた。さてアントーニウスは喜んでそれを引張って来る兵士たちを出迎えたが、他の人々もブルートゥスが生きたまま連れて来られると聞いて馳《は》せ集まり、或るものはブルートゥスの不運を憫《あわれ》むべきものと考え、或るものは命を惜んで蛮族の獲物になったことはあの人の名折れだと見た。しかし一行が近づくと、アントーニウスは立ち止り、ブルートゥスをどういうふうに迎え入れればいいか当惑していたが、連れて来られたルーキルリウスは至極大胆にこう言った。『マルクス　ブルートゥスはいかなる敵にも捕えられなかったし、これからも捕えられないでしょう。それほどまで幸運を徳性に勝たせたくないものです。いや、あの人がまだ生きているかそれともあの人にふさわしく屍《しかばね》となって横たわっているか今にわかります。私はあなたの兵士を瞞《だま》してここへ来たのですから、そのためにはどんなひどい目にでも会う覚悟です』ルーキルリウスがそう言うと、すべての人は驚いたが、アントーニウスはこの人を連れて来た兵士の方を見てこう言った。『兵士諸君、このやり損《そこな》いには莫迦《ばか》にされたと思って定めし腹が立つだろう。しかし実は、探していた獲物よりも遙《はる》かにいいものを見つけて来てくれたのだ。敵を探しに行って我々の味方を連れて来たことになるのだから。生きているブルートゥスだとすると私は全くどう扱っていいかわからなかった。こういう人ならば敵でなく味方として迎えよう』こう言ってルーキルリウスを抱き、その時は友人の一人に預けたが、後にはずっと信頼するに足る確実な人としてあらゆる事柄に使った。

18

(第五幕第五場)

ブルートゥス　五一　さて、ブルートゥスは林の中の崖《がけ》の間を流れる小川を渡り、暗くなって来たので幾らも進めなかったが、大きな岩のある窪《くぼ》んだ場所に腰を卸《おろ》し、少数の隊長や友人に取巻かれて、先ず星の一ぱい出ている天を仰ぎ……ブルートゥスが戦闘ではそう大勢死んでいないと推測したので、スタテュルリウスは、他に方法がないから敵の間を潜《くぐ》り抜けて(訳注 味方の)陣営を偵察し、そこの物が無事だとわかれば炬火《たいまつ》を揚げてからまたここへ戻って来ると約束した。果して陣営に辿《たど》り着いたスタテュルリウスの炬火が揚がったけれども、長い間戻らなかったので、ブルートゥスは言った。『スタテュルリウスは生きていればきっと戻って来る』しかしスタテュルリウスは、帰り途《みち》に敵に出会って殺された。

ブルートゥス　五二　夜が更けてから、丁度横になっていたブルートゥスは自分の召使のクレイトゥスの方を向いて何かと話をした。クレイトゥスが黙って涙を流しているので、今度は盾持ちのダルダヌスを呼び寄せて、いろいろ個人的な事柄を話した。最後にウォルムニウスにギリシャ語で学問修行中の思い出話をした。やがて自分の身を突き刺すから剣に手を添えて一緒に力を入れてくれと頼んだ。ウォルムニウスが拒み、他の人人も同様に拒んでいるうちに、或る一人が、ここに留らずに逃げなければいけないと言ったので、ブルートゥスは立ち上がり、『そうだ、どうしても逃げなくては。しかし足でなしに手で逃げよう』と言った。そうして銘々と機嫌《きげん》よく握手してから、友人が誰一人自分を偽らなかったことを非常に嬉しく思うが、運命に対しては祖国のために怨《うら》むと言い、自分は昨日や一昨日ばかりでなく今でも自分に勝った人より幸福であって、徳性の聞えを残して行くが、それを征服者が武器や財物によって残せないのは、正しい人を滅ぼす不正な人にも善人を殺す悪人にも立派な支配ができないと思われているからだと言った。人々にはどうか逃げてくれと頼んでから、二三人を連れて離れたところへ去ったが、その中には弁論術を学んだ頃から親しくしていたストラトーンもいた。ブルートゥスは、この人を自分の直ぐ傍に立たせ、抜身の剣の欛《つか》を両手で握りその上に落ちかかって死んだ。或る人は、ブルートゥス自身ではなくストラトーンがしきりにブルートゥスに頼まれて、眼を外らせて剣を突きつけ、ブルートゥスはそこへえらい勢いが胸を当てがって突き刺さり、瞬《また》く間に死んだと言っている。

ブルートゥス　五三　このストラトーンを、ブルートゥスの仲間のメッサルラは、カエサルと和解してから閑《ひま》な時に連れて行って、涙を流して言った。『この人です、私の大事なブルートゥスに最後の深切をしてやったのは』

ブルートゥス　二九　ところが、ブルートゥスに対しては政敵も一人としてそういう変節を責めたものはなく、アントーニウスでさえ、ブルートゥスだけはカエサルに反抗するに当ってその計画の光輝と美名に促されたのであるが、他のものはカエサルに対する憎悪《ぞうお》と羨望《せんぼう》によって集まったのだと言ったのを、多くの人が聞いている。（訳注　本篇一節）

ブルートゥス　四八　しかし、最初からブルートゥスと共に従軍した哲学者のプーブリウス　ウォルムニウスは……

ブルートゥス　五三　ブルートゥスの遺骸《いがい》はアントーニウスが発見して、その体を自分の最も高価な紅い上着で包めと命じた。

三

「一六〇一年はシェイクスピアの運命の上で著しい年であった」レオ・シェストフは彼のシェイクスピア論をそういう書出しで始めている。シェストフがそれを書いたのは一九〇三年であったが、その四年前の一八九九年までは、『ジュリアス・シーザー』は一六〇〇年もしくは一六〇一年の作と考えられていたのである。一八九九年にパーシー・シンプソンの考証によって、それが一五九九年には既に出来あがっていたことが明かにされた。しかし、その後も一九一〇年にはマッカラムが、一九一三年にはファーネスが、一九一六年にはシドニー・リーが、なお一六〇〇―一年説を主張していた。一九〇三年のシェストフがそれに随《したが》っていたとしても別に不思議はない。要するに、『ジュリアス・シーザー』は一六〇一年に書かれたものとして、シェストフは次のように続けている。

我々はその年にこの大詩人の身の上に何が起ったか、正確には知っていない。批評家たちは色々違った臆説《おくせつ》を提出している。或者は、彼の友人にして保護者であるところのエセックス及びサザンプトン両伯爵が、エリザベス女王を廃するという馬鹿げた陰謀を、更に馬鹿げた手段で遂行しようとしたために処刑を受けたという事件が、彼にかなりな打撃を与えたのだといっている。或者は彼がその十四行詩の中で謳《うた》っている「浅黒い婦人」に関する不幸な愛について語り、更に或者はこの時に彼の父が死んだのだといっている。

人々はその傾向や性質に応じて、これらの臆説のうち何《いず》れかを多かれ少なかれ信じようとするだろう。しかしともかくこの年に、シェイクスピアの生涯において彼の全存在を震駭《じんがい》させた恐ろしい事件が起ったことだけは確かである。一六〇一年以後彼は全く違った人間であり、その結果として、彼の作品は別の色調を帯びている。（河上徹太郎訳「シェイクスピアに於ける倫理の問題」芝書店版『虚無よりの創造』所収）

シェイクスピアのような古典を論じる場合、作者の個人的な生涯を作品理解の索引とすること、あるいはその反対に作品を生涯や思想の索引に利用することは、近代文学のように必ずしも手際《てぎわ》よくはゆかない。たとえば、シェイクスピアはその極く初期に『リチャード三世』のような陰惨な芝居を書いているのである。が、シェストフの言うことも全くは無視できない。シェイクスピアの作品はこの『ジュリアス・シーザー』から確かに「別の色調を帯び」はじめる。以後、死に至るまでの十年間を、一般に「悲劇時代」と呼んでいる。シェイクスピア悲劇の傑作はすべてこの時期のものであり、『ジュリアス・シーザー』がその先駆をなす。

シェストフは『「ジュリアス・シーザー』では一瞬間でも笑う人物が一人も出て来ず、更に之《これ》に続いたのは『ハムレット』であるが、そこで笑うのはハムレット一人だけであって、しかもその笑いは、極度に狂乱した歔欷《きょき》よりもっと恐ろしいもの」と書いているが、ハムレットの笑いが「恐ろしいもの」かどうかは別として、なるほど『ジュリアス・シーザー』には笑いがない。『マクベス』や『リア王』にさえある「息ぬきのおかしみ」もない。また『ハムレット』や『オセロー』に度〻《たびたび》出て来る「下がかり」もない。ウィルソンは一五九九年に道化役者ケンプがシェイクスピアの劇団を去った事実を指摘し、そのため作者はこの作品を道化役なしで仕上げねばならなかったのかもしれぬと言っている。

いずれにせよ、この作品はシェイクスピアの他のどの悲劇に比べても、生真面目《きまじめ》で色気がない。そのためであろう、現在の英国で最も人に知られ読まれているシェイクスピア悲劇は『ジュリアス・シーザー』であろうと言われており、広く教科書に採用され、常に学生演劇の対象として好まれている。おそらくシェイクスピア自身、古代ローマを扱うということから意識してそうしたのであろうが、語法も文体も簡潔、率直であり、響きの上でも単音節語を多く用いてその力強い効果を出している。それがまた教科書として採用され、青年に好まれる理由にもなっていよう。さらに政治劇としての解《わか》り易さがそこにはある。シーザー、ブルータス、キャシアス、アントニー、それぞれが明確な筋書をもった政治的事件において、明確な役割を果しているからである。が、『ジュリアス・シーザー』はそれだけのものであろうか。それなら書生芝居、壮士芝居の域を出でない。事実、うっかり上演すれば、そういうものになりかねないのである。

なるほど、ウィルソンは新シェイクスピア全集『ジュリアス・シーザー』の序において、この作品を「政治劇として最高のもの」だと言い、しかもそれが最高である所以《ゆえん》は、題材が政治的であるためでも、またそれに適した簡潔、明晳《めいせき》な文体のためでもなく、そこに登場する「公人」があくまで「私人」として生々と描かれているためであると言っている。その限りにおいて、私は彼の言葉に賛成する。だが、その序が書かれたのが第二次大戦直後の時期だったからであろうか、彼は専制主義というものをこの作品の主題としてあまりに重視しすぎる。もしこの作品がわれわれの時代に書かれたとしたら、「シーザーとシーザイズム（専制主義）」と名づけられたかもしれぬが、シェイクスピア時代には、シーザイズムなどという抽象語ははやらなかったし、事実一八五七年までこの語はなかったと彼は言う。要するに、ウィルソンはシーザーと暗殺者との対立に「独裁に抗する自由」の主題を見ようとしているのである。

そのため、彼は従来この作品の構成上の欠陥として挙げられている二つの問題に論点を集中し、それは欠陥であるどころか、彼の主張する主題を生す最も効果的な技法だと言っている。まず第一に、第四幕第三場におけるブルータスとキャシアスとの口論だが、たとえばブラッドレーなどはそれを単なる「挿話《そうわ》」に過ぎぬものと見なし、ここを省いてしまっても全体になんの影響もないとまで極言している。なるほど『ジュリアス・シーザー』は短い方から数えれば、全作品中七番目で、『空《から》騒ぎ』『ヴェニスの商人』『アセンズのタイモン』と同じであり、悲劇の中では最短の『マクベス』に次ぎ、それと数頁しか違わない。本訳書では全体が百五十頁足らずである。そのうち第四幕第三場は十九頁あり、最も長い場になっている。その次が第三幕第一場のシーザー暗殺の場と第二幕第一場のブルータス邸の十七頁、次が第一幕第二場の競技の場の十六頁、第三幕第二場の演舌の場の十五頁の順である。「公人」の行動を描きつつある政治劇のさなかに、ほとんど「私人」の、二人だけの口論で終始する第四幕第三場は、なるほどブラッドレーの言うごとく単なる「挿話」的装飾部分に過ぎぬかもしれぬ。

第二に、この作品はシーザーの暗殺の前と後とで、主題が二つに分裂していると解く学者が相当にいる。そこから、以前は二つの別個の芝居だったものを、すなわちシーザーの死に終る悲劇とブルータスの死に終る悲劇とを、無理に一作に結合したものだという説も出て来る。ウィルソンに言わせれば、この二つの欠陥にこだわる論者は、結局は同一の誤りを犯しているのである。つまり、ウィルソンの言う「独裁に抗する自由」の主題を見そこなっているということになる。果してそうであろうか。シェイクスピアは「謀反人の運命」に気をとられていたのではなく、「ローマの未来」を測っていたのであろうか。私はそうは思わない。

もちろん、私もブラッドレーには服さない。口論の場はこの作品の中で私の最も惹《ひ》かれる場である。それは単なる「挿話」に過ぎぬ無用の脱線であるどころか、おそらく作者の最も書きたかった場面でもあったろう。が、ウィルソンの言うように、私達にさらによくブルータスとキャシアスを知らしめ、彼等に愛情や同情を感じさせる効果があるとばかりは言えない。ブルータスの高潔とキャシアスの利己心との対照が作者の覘《ねら》いではない。もしその二つの対照があるとすれば、ブルータスのうちにも利己心があり、キャシアスのうちにも高潔がある。あるいはブルータスの高潔な冷酷とキャシアスの利己的な友情と、その二つの対立がある。二人はたがいに相手の醜さを暴露する鏡のように相対している。

一体、この劇の主人公は誰か。作品の題名にもかかわらず、明かにシーザーではない。では、ブルータスか。私達は誰に同情すればよいのか。誰の悲劇なのか。シェストフはブルータスを主人公と見、彼の理想主義が破れてゆく過程にシェイクスピアの深刻な懐疑を想像している。ウィルソンもこの劇には『ハムレット』や『リア王』のような「主人公」はいない、危機にあるのは、そういう個人の心ではなく、「ローマの未来」だと言いながら、やはりブルータスに最も同情的である。暗殺者の中で「ただこの男だけだ、純粋な正義の精神にかられ、万民の公益を願って一味に加ったのは」というアントニーの言葉をそのまま信じている。彼はルネサンス期イタリーの共和政論者や芸術家が多くブルータスを聖者として崇《あが》めていたことを指摘し、「ルネサンス期特有の感情はシーザーにたいする渇仰《かつごう》と暗殺者にたいする渇仰とが一つになっていたことであった」というブルクハルトの言を否定する。が、おそらくブルクハルトの言うとおりであったろう。ルネサンスに限らない。いつの時代でも、その二つは一つになりやすい。「高潔」なブルータスにはそれが見ぬけなかった。民衆の中で一つの渇仰がもう一つの渇仰に変ってゆく心の動きが、「高潔」であればこそ彼には見ぬけなかった。のみならず、彼は自分自身の中で「高潔」におさえつけられた「利己心」が、やがて「高潔」そのものを追いつめてゆくであろう人間精神の腐蝕《ふしょく》作用に気づかなかったのである。ウィルソンにもそれが見えていないのではないか。が、ウィルソンよりもブルータスに近いウィンストン・チャーチルがそれを見落さなかったのは興味ふかい。チャーチルは戦前にシェイクスピア物語の一つとして「ジュリアス・シーザー」を書いている。二十頁ばかりの短篇であるが、無駄のない名文である。その口論の場は次のような文章で始る。

その時、彼は(ブルータスは)自分の天幕の外に立って、キャシアスが来るのを待っていた。二人とも自分達が置かれている情勢の急迫に心が歪《ゆが》んでいた。ブルータスはおのれの廉潔、理想、自尊の念をあくまで固持し、傲岸不遜《ごうがんふそん》になっていた。キャシアスの方は貪欲《どんよく》と、あまつさえ収賄《しゅうわい》の誘惑に屈し、ブルータスにたいする深い友情と尊敬との底に嫉妬《しっと》と怨恨《えんこん》とを隠しもっていた。

読者は天幕の中で相争う二人の男のどちらに同情するであろうか。いや、その二人の男は決して二人の個人ではなく、共同して「謀反人《むほんにん》の運命」を、あるいは「独裁に抗する自由」の宿命を演じているのではないか。なるほど、モンテーニュがシーザーを評しているとおり、独裁にたいする野心は「寛容の徳」を破壊するであろう。が、独裁を打倒しようとする自由の精神も、もし「精神の政治学」を欠くならば、同じように「寛容の徳」を破壊するのである。正義もまた敗北の過程においては、それが正義であるがゆえに、あるいは正義でしかありえないならば、やはり腐敗を免れない。シーザーの亡霊が「高潔」な志士の眠りを妨げるのである。

シェイクスピアの目にはそのことがはっきり見えていたのである。あるいはシェイクスピアはエリザベスにたいする謀反人達に親しく接しているうちに、そういう人間不信の劇をまざまざと見せつけられ、その末路をひそかに予見していたのかもしれぬ。

福田恆存

解説

シェイクスピアの第三期・悲劇時代の先ぶれをなすローマ史劇『ジュリアス・シーザー』は悲劇的な格調の高い傑作である。文体は一貫して簡潔・率直、いかにも政治劇らしく生真面目《きまじめ》で、全体が流線型のすっきりとした男性的戯曲になっている。シェイクスピア劇には、悲劇の『ハムレット』や『リア王』、いや、『マクベス』にさえも道化役が登場するが、ここには道化役の登場する喜劇的な場面が一つもなく、シェイクスピアお得意の卑猥《ひわい》な冗談や駄洒落《だじゃれ》がいっさい影をひそめている。すべてが、夾雑物《きょうざつぶつ》のはいらない純粋な政治悲劇に捧《ささ》げられているのである。

シェイクスピア劇には（当時は女優が法律で禁じられていて、声変り前の少年女形が女性の役をやっていたせいもあって）概して女役は少ないが、『ジュリアス・シーザー』では、その傾向が一段と推し進められ、登場する女性は、群衆を除けば、僅《わず》かに二人である。男性にしても、みな錚々《そうそう》たる「高潔なローマ人」ばかりで、劇はローマの政治に明け暮れする彼らの「公人」としての活動を軸として展開する。

しかし、福田氏が解題で書いておられるように、この劇の偉大さは、単なる壮士劇を越えて、ローマの政治家たちの「私人」としての像を生き生きと描きだしたことにある。ドーヴァー・ウィルソンの言葉を直接引いておこう。この劇が「最も偉大な政治劇であるのは（中略）登場する『公人』たちを『私人』としても納得のゆく存在とすることによって、紀元前四十四年のローマの事象と人物を、一五九九年のロンドンに住むエリザベス朝人や、それ以後のあらゆる国と世代の人々にとって身近な問題としてたぐり寄せたからなのである」。（ついでに、シェイクスピアは歴史上の人物や場面に関する考証にあまり意を用いず、古代ローマを扱った『ジュリアス・シーザー』においても、時計に時を打たせ、帽子や手袋を人物に着用させている。シーザーたちはトーガを着ないで、エリザベス時代のダブレットを着ているというぐあいだった。シェイクスピアは衣裳《いしょう》や道具においても、昔の場面を「現代劇」として演出していたわけである）。

シーザーは、その強さのかげに癲癇《てんかん》もち、迷信家という弱い一面を蔵していることがあきらかにされる。ブルータスは、しばしばハムレットの前身と見なされるような反省的、哲学的な性向の持主であり、また、高邁《こうまい》な理想家であるが、そういう自分の廉潔を過信し、現実の動きにうといところがある。このブルータスを陰謀に引きこむキャシアスは、『ヘンリー四世』のホットスパーのような直情径行の士だが、同時にブルータスよりはるかに現実的な陰謀家であり、純粋な意味での「策士」なのである。彼はまた星占いなどを信じないルネサンス的な自然児、自由人でもある。

この現実家キャシアスは正義の理想家ブルータスのやり口にしばしば反対を唱える。シーザー暗殺のついでにアントニーをも殺したほうがいいと主張するのも、キャシアスであり、アントニーに追悼演説させるのを許すなと言うのも彼であり、フィリッピへの進軍を思いとどまらせようとするのも彼である。これらの忠告は、結果的には、どれも正しかったことがわかるのだが、キャシアスはブルータスの前に常に折れて、自説をひっこめる。素直で、いさぎよいところがキャシアスにはあるのだ。

ウィルソン・ナイトはこの劇に多くの友情関係があることを指摘している。「『ジュリアス・シーザー』の人間的要素には、あまねく「エロティシズム」が充満している。作中の人物はすべて「愛し手」である。この愛は熱烈だが、性的なものでも、肉体的なものでもない。ポーシャとブルータスさえもが情熱よりはむしろ優しい友情をもって愛しあう。（中略）『ジュリアス・シーザー』の人間的要素は、しばしば優しい情緒、心情の融けあい、涙、そして愛の柔らかな炎なのである。そこには大小さまざまの愛のテーマがある。ブルータスとキャシアス、ブルータスとシーザー、アントニーとシーザー、ブルータスとポーシャ、ブルータスとヴォラムニアス、ブルータスとルーシアス、（中略）キャシアスとティティニアス、（中略）など、これらのあいだには愛が表現されるか仄《ほの》めかされている。「愛する者」という言葉は妙に強調されており、時には「身方」というほどの意味しかもたぬこともあるが、常にそれは友情と愛情という全体の雰囲気《ふんいき》をかもしだしている。（中略）シーザー殺害はローマの肉体に加えられた斬《き》り傷であり、この傷は愛によって癒《いや》される。だからこそ、この劇の流れは、まず、悪であり、不安であり、無秩序そのものである「精神」と「物質」の分裂を強調するのである。」はたしてローマの傷は愛で癒されたかどうかは別として、ブルータスとキャシアスを中心として多くの友情関係が網の目のように張りめぐらされていることは確かである。

精神と物質の分裂と言えば、ブルータスは特に前半において確かに二元分裂している。「立って罪をならすべきはシーザーの精神だ。（中略）出来ることなら、シーザーの精神だけを捉《とら》えて、その肉体を傷つけずにすませたいのだ！」「きみ（アントニー）は、われわれの手しか見ない、その手のやった血まみれ仕事しか見ない。われわれの心を見てくれないのだ。その心は思いやりで一杯なのに」「おれはシーザーを愛さなかったのではなく、ローマを愛したのである」。こういうブルータス、「私的には聖者のごときストイックでありながら、公的には非道の暗殺者であるという悲劇的な二面性」をもったこのブルータス、その自己矛盾を巧みについているのが、アントニーのシーザー追悼演説である。

シーザー殺害に続くこの演説の場面は、シェイクスピア劇の中で最もよく知られた見せ場の一つであるが、アントニーは、ブルータスが聴衆の心をすっかり自分の側に惹《ひ》きつけて、もう大丈夫と安心しきって演壇をアントニーにまかせるそのあとを受けて、もう一度、聴衆の心を百八十度転換させるという難しい仕事をここで見事になしとげるのである。それをなしとげるために、彼はまったく煽動演説家《デマゴーグ》の模範と言っていい妙手を使う。高邁《こうまい》だが抽象的なブルータスの言辞にたいして彼は具体的な事実を並べ、感情的アピールを用いる。なかでも、ブルータスが言った「私は何より公明正大を尊ぶ男である」という言葉を逆手にとって、それを何度も自分の演説の中で繰返すのは、心憎い手管である。中野好夫氏は、この繰返しは一応ブルータスを褒《ほ》めておくためのせりふであると書いておられるが、むろん、表面的にはそう読んで一向に差支《さしつか》えがないけれども、実はこれは痛烈な反語（アイロニー）なのである。「残酷非道に一国の元首を暗殺するなどという、そんな公明正大の士がありえようか」というのが、アントニーの暗に言いたいことなのである。この巧みなアイロニーは、「私はあの公明正大な人たちを誣《し》いることになりはしないか、刃をふるってシーザーを刺した連中を」というアントニーのせりふでほとんどあからさまに表現されている。

さらにアントニーは、あたかも群衆の意思でやむなくシーザーの遺言状を読みあげさせられるかのように、その方向に巧みに群衆を誘導してゆく。そして、ひとたび群衆の心が自分の方に傾いてきたと知るや、たちまち見せかけをかなぐり棄て、シーザーの血まみれのマントルを見せつつ、真っ向からブルータスらを忘恩の徒、凶悪無慙《むざん》の反逆者ときめつけ、そこで市民が「反乱を！」と叫ぶと、それを抑《おさ》えつけるかのごとき言辞を弄《ろう》しながら、「もし私がブルータスであったら、（中略）諸君の心を奮いたたせ、（中略）興奮の渦を巻き起したに相違ない」とけしかける。そして、最後の切り札としてシーザーの遺言状の内容を公表して完全に人心を収攬《しゅうらん》してしまう。

政治家の言説に動かされて右にも左にも簡単に向きを変える群衆の愚かさは、むろん、この演説の場面に鋭く描きだされているが、そのあとにくるシナ殺害の場面では、完全な暴徒《モッブ》と化した群衆の狂的な行動が簡潔に描かれている。現代の世界でも、どこにでも見られる暴徒の野蛮な一面を剔抉《てっけつ》していて妙である。

演説の場面でブルータスはアントニーに敗れ、いわばアントニーの格があがった形になったわけだが、シェイクスピアは、そのあとの粛清の場面（第四幕第一場）でアントニーを引きずりおろしている。シェイクスピアは、この劇で、特に誰に身方しているのでもない。真の劇作家は、作中人物にたいして、時には特定の一人に全面的に同情しながらも、全体としては神のごとき客観をもって臨むものなのである。ウィルソンも言っている――「バーナード・ショーのいわく、シェイクスピアは『単にブルータスを上げる手法上シーザーを下げた』のである。ショーはさらにこう言ってもよかった、シェイクスピアは同じような目的のために演説の場面でブルータスを下げ、そのあとの粛清の場面でアントニーを下げ、そこから最後の破局に至るまで再びブルータスとキャシアスを徐々に上げていったのだ、と。シェイクスピアはいつも彼の劇的天秤《てんびん》のかしぎ具合を調節するのに忙しい。観客の同情を今はこの人物へ、今はかの人物へ、今はこちらの側に、今はあちらの党派へと向けさせようとする」。

話をブルータスとキャシアスにもどして、両者の対比が最もくっきりと描かれているのは、有名な「諍《いさか》いの場」である。そこでは、どんな些事《さじ》にも正義を貫こうとするブルータスにたいして、キャシアスは、場合が場合だから些細な罪にこだわってはおられぬ、友情があるのなら友の少しくらいの落度は許すべきじゃないかと反問する。ブルータスは不自然なまでに正義という観念にとりつかれていて、キャシアスの自然な訴えがわからない。あわや決裂というところで感動的な和解が成立するのだが、この場面にはもう一つのポイントがある。ブルータスは愛妻の死をすでに知っているのだが、キャシアスにはそれを隠している。ブルータスがかっとなったのは、一つにはポーシャの死に心が動顚《どうてん》していたためなのである。高潔な「公人」ブルータスも、愛する妻を失った「私人」ブルータスには勝てなかったのだ。

解題にも書かれているが、『ジュリアス・シーザー』の筋には頂点が二つある。一つは議事堂におけるシーザー暗殺の場面であり、一つはフィリッピの戦いの場面である。つまり、この劇は二重テーマの効果を有しているわけである。このことから、この劇の主題は二つに分裂していると説く批評家があとを絶たないのであるが、しかし、第二部とも言うべき後半においても、強大なるシーザーは死後もその影を色濃く舞台の上に投げかけている。フィリッピの戦いの場面におけるキャシアスらの行きちがいも、実はシーザーの霊のいたずらによるものではないかと思われるほど、その霊は陰に陽に強い作用を及ぼしているのである。それに、福田氏の指摘しているとおり、この劇には「謀反人の運命」という主題があり、また、ブルータスの理想主義が破れてゆく悲劇的な過程が大きく描かれているのである。

シェイクスピアの生きたルネサンス時代には中世の伝統が脈々と生きていた。その伝統の一つに、自然界と人間界との照応という観念があった。これはシェイクスピア悲劇の中にしばしば現われるが、『ジュリアス・シーザー』でも、人間界の変異は自然界に反映し、シーザー暗殺の前夜にさまざまの天変地異が起るのである。シェイクスピアの宇宙的《コズミック》な世界観が彼の劇の効果を一段と強めるのに役立っているのだ。

おわりに一言、この劇の「勝者」であるアントニーは、のちの『アントニーとクレオパトラ』において、クレオパトラの色香に迷ってローマに反抗し、この劇の最後のせりふを述べるオクテイヴィアス・シーザー（ジュリアス・シーザーの甥《おい》の子）によって敗北させられる。アントニーが、『ジュリアス・シーザー』ではいわば自分の弟子だったオクテイヴィアスに滅ぼされるのは、まことに運命の皮肉と言わねばならない。

中村保男

Title : JULIUS CAESAR
Author : William Shakespeare

ジュリアス・シーザー

新潮文庫　シ - 1 - 6

昭和四十三年三月二十五日　発行
平成　四　年　三　月　十　五　日　四十四刷

訳　者　福《ふく》田《だ》恆《つね》存《あり》
発行者　佐藤亮一
発行所　株式会社　新潮社

郵便番号　一六二
東京都新宿区矢来町七一
電話　業務部(〇三)三二六六―五一一一
　　　編集部(〇三)三二六六―五四四〇
振替　東京四―八〇八番

価格はカバーに表示してあります。

乱丁・落丁本は、ご面倒ですが小社通信係宛ご送付ください。送料小社負担にてお取替えいたします。

印刷・錦明印刷株式会社　製本・錦明印刷株式会社

ISBN4-10-202006-3 C0197